JN106936

言語学小辞典

下宮忠雄
SHIMOMIYA Tadao

A Short Dictionary
of Linguistics

文芸社

印欧諸語の系統樹説（アウグスト・シュライヒャー）

August Schleichers Stammbaumtheorie（1861）

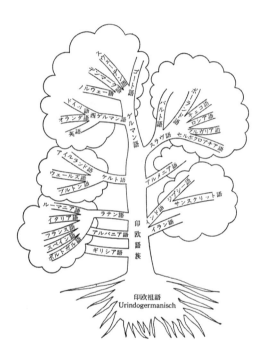

　木の根から木の幹が生じ、幹が枝に分かれ、枝がさらに小さな枝に分かれるように、印欧祖語から数個の語派が分かれ、語派がさらに個別言語に分かれて、今日の印欧諸語（indogermanischen Sprachen）ができた。これに対してJohannes Schmidtの**波動説**（Wellentheorie, 1872）がある。

前書き（preface, Vorwort, avant-propos）

　本書は Prof.Giuliano Bonfante（1904-2005）がアメリカのプリンストン大学（Princeton University, New Jersey）のロマンス語科教授時代にアメリカの百科事典 Collier's Encyclopedia（New York, 1956, 20 vols.）に言語学の editor として 288 項目（術語と学者名）を執筆したものを解説（データ管理表）したものである。その内容は、いずれも新鮮で up-to-date であり、出版時から 66 年を経た今日でも、価値を失っていない。専門はロマンス諸語、ラテン語、ギリシア語、サンスクリット語、スラヴ諸語であるが、アイヌ語まで執筆している。Bonfante はベルトーニ Giulio Bertoni およびバルトリ Matteo Bàrtoli に代表される新言語学で、印欧祖語の再構（reconstruction）よりも語派に分化したあとの改新（innovation）に重点を置く。

　ムッソリーニの独裁時代にイタリアを離れ、マドリッドの歴史研究所の言語学科長（ここの学生に Antonio Tovar がいた）のあと、上記 Princeton 大学に移り（1939-1952）、Genova 大学（1952-1959）、Torino 大学言語学教授（1959-）となる。1958 年以後 Accademia Nazionale dei Lincei のメンバーであった。2005 年 5 月、亡くなる 4 か月前まで Lincei 学会誌に論文を執筆していた。最晩年まで健筆で、Indogermanische Forschungen, 101（Berlin, 2001）に La posizione recíproca delle lingue indoeuropee（印欧諸語の相互関係）が載った。

　訳者下宮は 1982 年 8 月、東京で国際言語学者会議（第 13 回 International Congress of Linguists）が東京都市センターで開催されたとき、はじめてお目にかかり、歴史言語学の部門で、一緒に司会をした。その後、La dottrina neolinguistica（新言語学教義；Torino, 1970）やエトルリア語の入門書 The Etruscan Language（Manchester, 1983；娘 Larissa Bonfante との共著）を贈っていただいた。

　2022 年 11 月　　埼玉県所沢市小手指のプチ研究室　　下宮忠雄

凡　例

１．なるべく多くの項目を掲載できるように、原著の内容を縮小した場合がある。

２．アイヌ語などは、訳者の判断で内容をふやした。

３．Bloomfield, Jan Baudouin de Courtenay, Sapir, Max Vasmer など原著にないものを適宜補った。次のものは補充した。Buck, Bühler, Coseriu, Décsy, Finck, Gilyak, Gilliéron, Lewy, Milewski, Pedersen, Pottier, Rask, Rohlfs, Saussure, Schleicher, Tesnière, Thomsen, Trubetzkoy. 原著にないものを加えたのは Castrén, Caucasian, James Cook, Flatey の書, Hyakunin-Isshu, ラジシチェフの『ペテルブルクからモスクワへの旅』など。

目　　次

A（起源と発音）。紀元前2000年から1500年ごろに、フェニキア文字aleph アレフが最初の文字として用いられ、起源前800年ごろギリシア文字alphaがローマを経て、ヨーロッパの言語に伝わった。ラテン語aqua, manusからフランス語eau, mainとなった。英語father, cat, late, any, sofaのaは、みな、発音が異なっている。ノルド語（北欧語）få「得る」のåは英語fallの母音と同じ音である。fåはドイツ語fangen（とらえる）と同じ語源。

accent（アクセント）。強弱アクセント（stress accent）はアクセントのない音節を消滅する。ギリシア語eleēmosýnē（同情、施物）は6音節だが、ラテン語alimosinaで5音節となり、英語almsで1音節になった。日本語は高低アクセントで、アメ飴（￣）アメ雨（￣）を区別する。三つのオカシ（金田一春彦）お菓子（￣）、岡氏（￣）、お貸しgive me!（￣）。

高低アクセント（スウェーデン語musikalisk accent）の例：
brúnnen（brúnn泉 + en定冠詞）、brùnnen「焼けた」

adjective（形容詞）。ラテン語は名詞も形容詞もnōmenといった。区別する必要があるときはnomen substantivum, nomen adjectivumといった。名詞・形容詞が同じ形はラテン語boni et mali（善人と悪人）、イタリア語i buoni e i cattivi、ギリシア語hoi agathoì kaì hoi kakoí、フランス語les bons et les méchants、ドイツ語die guten und die bösen、英語the good and the bad（the good ones and the bad ones）、take the good of life and leave the badに見られる。

　語尾で男女を区別するもの：ギリシア語はhíppos（馬、牡馬）、híppē（雌馬）、ラテン語lupus（狼、牡狼）、lupa（雌狼）、イタリア語porco（ブタ、オスブタ）、porca（メスブタ）

adverb（副詞；ad + 動詞）は形容詞、副詞、動詞を修飾する。the above remark, reasonably good, act reasonably. ラテン語は liber自由な、libenter自由に、のような副詞語尾をもっていたが、フランス語は libre自由な、librement（自由な心をもって、自由に）の

ように副詞語尾-mentを作った。古代英語eges-līce（terribly）の-līce（リーチェ）は英語likeと同じ語源で「おそろしい心をもって」が原義である。-līceはドイツ語gleich（同じ、英語like）。

Ainu（アイヌ語）。北海道、カラフト、千島列島（Kurile Islands）に行われる系統不明の言語。アイヌは「人間」の意味。ネイティブスピーカーの人口は萱野茂（1926-2006；北海道アイヌ博物館長）のほか、ほんの数名の老人であるが、早稲田大学、千葉大学などで開催される講座のためにアイヌ語学習者が増え、ここ20年あまり、潜在的人口は数十名であると思われる（Ethnologue 1996[13]に15 active speakersとある；Aleksandr Vovinによる）。瀕死の状態から復活を試みる運動は英国のマン島語（Manx, Isle of Man）やコーンウォール語にも見られる。

アイヌ語はフィンランドの『カレワラ』に匹敵する国民的叙事詩（national epic）をもち、金田一京助（1882-1971）により『アイヌ叙事詩ユーカラ集』金成まつ筆録、金田一京助訳注（金田一京助全集、第5～12巻、三省堂、1933）として出版されている。アイヌ語の特徴は/p t k/と/b d g/の音韻的対立がないこと（cf.高田にタカタとタカダの読み方がある）、形態接辞の多総合性（polysynthesis）である。

地名にアイヌ語が見られる。ホロベツ（幌別）＜poro-pet大きい・川、ノボリベツ（登別）＜nupur-pet濃い・川、ワッカナイ（稚内）＜wakka-nay水の沢。アイヌ語から日本語に入った単語はrakko→ラッコ（猟虎）、shakipe→しゃけんべ、鮭（シャケ）。日本語からアイヌ語に入った単語は神→kamui, 牛（ベコ、東北地方）→peko. 旧日本領であった樺太（カラフト）のアイヌ語については、村崎恭子『カラフトアイヌ語』（国書刊行会，東京，1976；テープ付き）がある。

文例に知里幸恵編訳『アイヌ神謡集』（岩波文庫1978, 第63刷2021）から「銀の滴降る降るまわりに」を掲げる。

「銀の滴降る降るまわりに、金の滴降る降るまわりに」という歌を私は歌いながら、流れに沿って下り、人間の村の上を通りながら、下を眺めると、昔の貧乏人がいまお金持ちになっていて、昔のお金持ちがいまの貧乏人になっているようです。"Shirokanipe ranran pishkan, konkanipe ranran pishkan." arian rekpo chiki kane petesoro sapash aine, ainukotan enkashike chikush kor shichorpokun inkarash ko teeta wenkur tane nishpa ne, teeta nishpa tane wenkur ne kotom shiran.

上掲のnishpa「主人」、kotan「村」は日本語に入っている。

編者知里幸恵（1903-1922）は金田一京助によると、北海道の登別に生まれ、函館に出て、英人ネトルシプ師の伝道学校に修学し、日本語や日本文はもちろんのこと、ローマ字や英語の知識も得て、敬虔なクリスチャンだった。わずか19歳で亡くなった彼女のお墓は東京の雑司が谷にある。行年（full living years）19歳、知里幸恵之墓と刻んだ墓石が立っている。

［参考書］ジョン・バチラー Dr.John Batchelor著『アイヌ・英・和辞典』（岩波書店、第4版1938, 第2刷1981）序文、アイヌ語文法p.1-105, 物語と伝説p.105-145（14編、The man in the moonなど、アイヌ語・英語対訳）；アイヌ語・英語・日本語辞典p.1-581, 英語・アイヌ語辞典p.1-100；「バチラーの辞典について」田村すゞ子（早稲田大学教授）。John Batchelor（1854-1944）はイギリスの宣教師、アイヌ研究家。英国Sussex州に生まれ、ケンブリッジ大学に学び、1877年来日、北海道の函館、札幌に住み、キリスト教伝道のかたわらアイヌ研究に没頭した。新約聖書のアイヌ語翻訳により神学博士の学位を得た。

Albanian（アルバニア語）。印欧語族の中の一分派。言語人口300万。トスク方言Tosk（標準語）とゲグGeg方言（第二次世界大戦前の標準語）がある。アルバニア共和国、コソボ地方、ギリシア、南イタリアに行われる。mik（friend）、mik-u（the friend）のよう

に定冠詞を後置し、mik（ラテン語 amicus）とその複数 miq（ラテン語 amici）において q : k（palatal k と velar k）の対立が見られる。ラテン語からの借用語が多く、mik においてはラテン語の amicus の語頭の a- が脱落し、mbret「王」（ラテン語 imperator より）のように語形がゆがめられている。バルカン半島の言語連合（linguistic alliance）の一員。最古の文献は 1555 年の聖書の翻訳。Albania（首都 Tirana）の自称は Shqipëría（鷲ワシの国）

Alonso, Amado（アマド・アロンソ, 1896-1952）。スペインの言語学者。Menéndez Pidal（1869-1968）の教え子で、イタリアの哲学者 Benedetto Croce（言語は絶え間なき創造である）、Charles Bally の文体論を学び、ソシュールの Cours de linguistique générale（1916）をスペイン語に訳した（1943；日本語、ドイツ語、ロシア語に次いで 4 番目）。Rubén Darío, Lope de Vega, Pablo Neruda（の研究は近代詩への入門）を研究。1946 年 Harvard 大学教授となり、Chicago 大学名誉博士。スパニッシュ・アメリカンの研究、スペイン語におけるアラビア語の影響を研究、マサチューセッツの Arlington に葬られる。

alphabet（アルファベット）。ギリシア文字の最初の 2 文字 alpha と bêta からなる。アルファベットの発明はフェニキア人によるとされる。フェニキア文字 A（ālef, alpha）は「牡牛」を表し、B（bēt, bêta）は「家」を表す記号だった。最初は音節文字（子音＋母音、子音＋母音＋子音）だった（日本語は音節文字；ア、カ、サ）。ラテン語のアルファベットは 26 文字（半母音 j, v, w を含め）である。ラテン文字はドイツ語の音を表すには不十分で、ä, ö, ü（フランス語では ai, œ, y）を用い、č（チュ）の音に英 ch、仏 tch、独 tsch を用いる（Nietzsche のように 5 文字もある）。

オガム文字（Oghamic）はアイルランドのケルト人に用いられる。ルーン文字（runes, 古代ノルド語 rún「秘密」より）に由来する。

スラヴ語にはグラゴル文字（Glagolitic；glagolŭ「ことば」）と

キリル文字（Cyrillic）があり、今日ロシア語に用いられるのはキリル文字で伝道師キリルとメトディオス（Cyrillos, Methodios）が聖書の翻訳に用いたもので、40字からなる。August Leskien（1840-1916）のHandbuch der altbulgarischen（altkirchenslavischen）Sprache（Heidelberg, 1871；8版1962, 11版2002）は長い間欧米の大学で教科書として用いられた入門書だが、キリル文字を用いる。グラゴル文字の見本はJohannes IV, 5-42.

American English（アメリカ英語）。人口がイギリス本国の4倍ということもあろうが、社会のあらゆる面とともに、アメリカ英語がイギリス英語に侵食し、後者の存在を危うくしそうだと聞いて驚く。1790年にはアメリカ合衆国の人口が450万だったというから、今日の小国デンマークに毛の生えた程度の大きさだった。その後の破竹の勢いのアメリカ英語に学者の関心が向かないはずはない。アメリカ本国にはジャーナリストであったメンケンによる大著The American Language（1918）がある。以下はキルヒナー著、前島儀一郎ほか訳『アメリカ語法事典』（大修館書店, 1983, 162 + 1028頁）の紹介である。著者Gustav Kirchner（1890-1966）は東ドイツ・イェーナ（Jena）大学の英米語学教授で、原著はDie syntaktischen Eigentümlichkeiten des amerikanischen Englisch. 2巻. Leipzig 1970-1972. 訳者注と4種の索引を加えた本書1200頁は3部に分かれる。第1部「語のシンタクス」は冠詞、名詞、形容詞など品詞別の用法を扱い、第2部「文のシンタクス」は語順、否定、分詞構文などを扱い、第3部は動詞用法辞典となっている。アメリカ英語には古い語法が残っているといわれる。

文法性（gender）：Mexican *life* as *she* is lived（メキシコ生活の実態）の無生物名詞lifeが女性扱いになっている。なるほど「生活」のラテン語vita, フランス語vieは女性名詞だが、アメリカの民衆はそんなことには目をくれず、女性扱いしている。Music. All ready? Then let *her* go!（みな用意はいいか。演奏始めだ！）。

「音楽」はラテン語ars mūsica, ギリシア語tekhnē mūsikē（ムーサの技）以後、女性名詞になっている。「天気」（weather, OE weder, ドイツ語das Wetter）もアメリカでは by God, *she's* gettin' cold, ain't *she?*（おやおや、天気が寒くなってきたようだね）と女性扱いになっている。コーヒーも女性扱いだ。I smell *her*（コーヒーのにおいがする）。この種の現象は、英語史的にも比較文法（比較文化）的にも興味ある事実である。

　アメリカ英語には古い語法が残っているといわれる。主語属格 the *car's* speed（車の速度）、the *coffee's* warmth（コーヒーのぬくもり）、the *restaurant's* window（レストランの窓）など。また、afternoons, evenings, mornings, Sundays, weekdaysにみる属格s「午後にはいつも」は、ドイツ語では、今日ごく普通に用いられる語法で、sonntags geschlossen（日曜日閉店）のように用いられる。What I would *leaves* ain't the point.（ぼくの望むのはその点じゃない）のイタリックの語はドイツ語lieberを引きあてると、なるほどと思われる。

　第3部「動詞用法辞典」は260頁に及ぶアルファベット順の動詞辞典で、用例を読むだけでも面白い。そこにあるのは、おつにすました優等生的な文章ではなく、アメリカの都会や農場や若者のたまり場からの、なまの文である。名詞や形容詞の用法辞典とするより、どれほど生き生きしていることか。ラテン語の動詞verbum は「ことば」が原義だった。in prinpicio erat verbum（はじめにことばがあった）。verbumの語源は *werdhomで、英語word と同じ語源。オーストリア・グラーツGraz大学のロマンス語学者フーゴー・シュハート Hugo Schuchardt（1842-1927）は言う。動詞こそ言語に生命を与える魂である（Das Verb ist die Seele einer jeden Sprache. Wien, 1892, Selbstverlag）。巻末のアメリカ英語の見本（Fitzedward Hall, p.995-996；Fitz は fils）に I am from America, where my home is at the North（＝in the North）…とある。

本書はアメリカ英語の文法と語法事典（grammatisch-phraseolo-gisches Wörterbuch）と称すべきものだが、アメリカ語法事典たるにとどまらず、アメリカ語法を中心にした英文法総覧（cf. Paul のGrundriss）ともいえよう。おびただしい引用例に日本語訳を添えることは訳者たちにとって容易ならぬ仕事だったと思われる。また、随所に見られる訳者注は巻末にまとめるのではなく、本文中および原注の中にカッコで挿入されているので、読みやすい。
（大修館書店『月刊言語』1987年7月号）

　［付記］1983年5月16日（月）午前中、早稲田大学のドイツ語非常勤の授業2つを済ませて、神田錦町の大修館書店で『月刊言語』の編集長・山本茂男氏から初校ゲラ刷り1000頁を受け取り、午後一番の新幹線で非常勤先の日本大学国際関係学部（三島）で比較言語学と言語学概論の授業へ向かう車中で読んだ。前島先生は1954年以来、書物を通しての恩師であり、このような形で先生と向き合えることを嬉しく思った。

analogy（類推）。「大勢の人たち、不自由な人たち」のように「たち」は人間に用いられるが、飛行場で「たくさんのトランクや荷物<u>たち</u>が機内に運ばれて行った」と言う。英語cowの複数はkine（詩語）だった。kineは古代英語cū（クー）の複数cý（キュー）だが、音法則的な発達形kī（キー）では、短すぎて伝達に不十分なので、さらに -ne（childr-en）が加えられた。英語は-sの複数形が主流になり類推でcowsとなった。古代英語hūs（house）の複数はhūs（同形）だった。フランス語j'aime（I love), nous amons（we love）だったがaim-の語幹が優勢を占め、nous aimonsとなった。

analyse（分析；Bernard Pottier, 1924-）。音声分析：žpar-ti-ré；形態素分析：ž-part-ir-é（Présentation de la linguistique, Paris 1967；78頁の冊子に神髄が詰まる）

areal linguistics（地域言語学）。ロマンス諸語はラテン語から出発したのだが、地域により次の図のような傾向がみられる。

Iberia	Gallia	Italia	Dacia
comedo	manducare	manducare	manducare
final -s	no-s	no -s	no-s
formosus	bellus	bellus	formosus
magis fortis	plus fortis	plus fortis	magis fortis
tunc	ad illam horam	ad illam horam	tunc

Iberia（スペイン語）と Dacia（ルーマニア語）に古語が残る。

Arisaka, Hideyo（有坂秀世，1908-1952）。東京大学言語学科卒。主著『音韻論』（三省堂1940, 1947[4], 1958[5]）はプラーグ学派の音韻論の真髄をいち早くわが国に紹介し、批判的に解説。当時は海外の出版物を入手するのが容易ではなかった。有坂は Trubetzkoy に肉迫し、ほぼ同時代の小林英夫は Saussure に、泉井久之助は Humboldt に肉迫したと言える。『上代音韻攷』1955三省堂，『国語音韻史の研究』1957三省堂。

Armenian（アルメニア語）。印欧語族の中の一分派。アルメニア人は紀元前6世紀以降 Ararat 山、Van 湖周辺に住み、西暦5世紀以後、文献は聖書の翻訳に始まる。アルメニア人の自称は Hay（複数 Haykh）、アルメニア国を Hayastan という。言語人口350万。アルメニア語は印欧諸語の特徴である文法性を失ったが、その他の文法特徴は保たれており、ゲルマン語に似た子音推移が見られる：hayr 父、ラ pater；tasn 10，ラ decem；kin 女，ギ gynē）。ełbayr（エグバイル；兄弟）はギリシア語 phrātēr に対応する。ミコヤン Mikoyan, ハチャトゥリアン Khachaturyan, シャウミャン Shaumyan, サロイヤン Saroyan, の -yan の名はアルメニア人である。

「アルメニア人は地下に住んでいた」と Xenophon の Anabasis にある（L.A.Wilding, Greek for Beginners, faber and faber, 1982, p.43）hoi de Arménioi ékhousi tàs oikías katà tês gês.

［東アルメニア民話］『火の馬』hrełēn ji フレゲーン・ジ［dzi］Feuriges Pferd. ある老人に三人の息子がいた。二人は利口だった

が、三人目は愚か者で、きたなかった。愚か者は昼も夜も家でブラブラしていて、何もしなかった。父が、ある日、タネを蒔くと、芽が出て、美しい穂が実った。しかし、毎晩、何者かが畑を荒らした。父が息子たちに言った。「子供たちよ、夜、順番に畑を見張ってくれ、そしてドロボウを捕まえてくれ。」

最初の夜、長男が畑に出て、見張った。しかし真夜中に眠ってしまった。翌朝、息子は家に帰って、言った。「ぼくは眠りませんでした。身体がすっかり凍えてしまいました。でも、ドロボウは見ませんでした。」次の夜、次男が畑に行きました。夜の間、ずっと寝てしまいましたが、翌朝、同じ報告をしました。三日目に、愚か者に順番が来ました。彼はヒモを持って畑に出かけ、ドロボウを待っていました。真夜中に眠気が襲って来ましたが、ナイフで指に傷をつけ、塩を塗って、眠気を追い払い、歌を口ずさんでいると、地響きがして、空から火のついた翼をつけた馬が降りて来て、畑の上に止まった。馬の鼻から雲が出て、目から稲光が出た。そして、馬は穀物を食べ始めた。食べるというよりも、踏み始めた。

愚か者は馬に近づき、首にヒモを投げつけ、捕まえようとした。馬は全力で引っ張り、後足で立ちはだかったが、自由にならなかった。馬は疲れて、愚か者のヨハネスに言った。「放してください。お返しはしますから。」

「よろしい。だが、どうやってぼくは君に会えるんかな。」「ぼくを呼びたかったら、畑へ来て、3回、口笛を吹いて、叫んでください。火の馬よ、火の馬よ、早く来てください。そうすれば、すぐに来ます。」ヨハネスは馬を放してやり、もう二度と畑を荒らすなよ、と命令した。

愚か者は家に帰った。「お前は何を見たか、何か与えたか」と二人の兄弟は尋ねた。ヨハネスは答えた。「火の馬を捕まえたんだ。もう畑には来ない、と言うので、放してやった。」それ以上

は言わなかった。二人の兄は愚か者を笑った。だが、実際、次の日からは、畑は荒らされなかった。

　この事件の翌日、触れ役が王さまの伝言を村々、町々に伝えた。「町人よ、貴族よ、村人よ、王さまがお祭りを開催する。全員を招待する。お祭りは三日間続く。君たちは立派な馬を連れて来なさい。王さまの一人娘、太陽よりも美しい娘が塔のバルコニーに坐っている。君たちの馬で高く跳び上がり、娘の指から指輪を引き抜くことが出来たら、その者に娘を妻に与えよう。」

　ヨハネスの兄たちも祭りに出かけた。しかし、馬で跳び上がることはせず、他の人々を見ているだけだった。ヨハネスは、ぼくも連れて行ってください、と頼んだが、「愚か者が、なんのためにだ。他人を笑わせる（原文：驚かせる）ためにか。家にいろ。」

　兄たちは馬に乗り、祭りに出かけた。ヨハネスは、兄たちが出かけたあと、そっと野に行き、火の馬を呼んだ。どこから来たのか、突然、火の馬がヨハネスの前に立っていた！　ヨハネスは顔を向けて馬にまたがると、美しい青年になっていた。だれも、きたないヨハネスには見えなかった。

　彼は火の馬にまたがり、祭りに出かけた。王の宮殿の前に、広場に、無数の見物人が集まっていた。そして、高い塔のバルコニーに、王の娘が、月のように美しい娘がいて、その指輪が太陽のように輝いていた。しかし、そこまで高く跳び上がる勇気のある人はいなかった。だが、だれが彼女の手を高く持ち上げることができたか。ヨハネスは火の馬を両脚で締めると、馬はいななき、跳び上がったが、3段ほど足りなかった。大衆はかたずを呑んで見上げた。ヨハネスは馬の方向をかえて、消えてしまった。畑に戻ると、馬から降りて、もとの姿に変えた。馬は行ってしまったので、ヨハネスは家に帰り、何知らぬ顔をしていた。夕方、兄たちが帰宅すると、今日の出来事を父に話した。ヨハネスは彼らの言うことを聞いていたが、心の中で、こっそり笑った。

二日目、兄二人は祭りに出かけたが、ヨハネスを連れては行かなかった。ヨハネスは野原に行き、馬を呼んで、出発した。王の宮殿に近づくと、昨日よりも大勢の人がいた。みな王の娘を眺めていたが、だれも跳び上がろうとはしなかった。ヨハネスは馬の腹を締めると、馬はいななき、跳び上がったが、娘に届くには2段足りなかった。

　三日目、二人の兄は出かけた。ヨハネスは野原に行き、馬にまたがって出かけた。塔に近づいたとき、ヨハネスは馬の腰を力いっぱい引き締めた。馬は、いななくと、恐ろしい力で跳び上がり、バルコニーに到達した。ヨハネスは王女の指から指輪を引き抜き、馬とともに、飛び去った。王も、王妃も、見物人一同が叫び始めた。「ほら、奴をつかまえろ、つかまえろ！」

　ヨハネスは片手を包帯で巻いて、帰宅した。「手はどうしたんですか」と婦人たちが尋ねた。「イチゴを採るときに、石につまずいたのです。気にしないでください」と言って、暖炉のそばに行った。

　兄二人は帰宅して、父親に出来事を報告した。ヨハネスは指輪を見ようと思って、包帯を採ると、小屋全体が明るくなり始めた。「愚か者め、火遊びするんじゃない」と兄たちはとがめた。「お前はまったく役に立たぬやつだ。もう少しで、小屋に火がつくところだった。お前を家から追い出しておくべきだった。」

　三日後、王の使者が来て、告げた。「この王国に住む者は、全員、祭りに集まるべし。命令に従わぬ者は、死刑に処す。」

　命令ならば、しかたがない。老人（父親）は家族全員を連れて祭りに出かけた。全員がテーブル布に坐った（東洋ではテーブルを使わず、テーブル布の上に坐る）。集まった人は全員が食事をし、飲んで、大騒ぎになった。祭りの終わりに、王女が自分の手でハチミツ水を配った。ヨハネスも、ほかの人のあとに、彼女に近づいた。こともあろうに、こんな日に、ヨハネスはボロの服を

着て、きたない髪をして、片手は包帯を巻いていた。「若い方よ、なぜ包帯を巻いているのですか」と王女は尋ねた。「包帯を取ってごらんなさい。」

ヨハネスが包帯を取ると、指には彼女の指輪が輝いていた。王女は指輪を抜き取ると、父に言った。「お父さま、この方だわ。私の結婚相手は。」

ヨハネスはお風呂に連れて行かれ、髪を洗い、香油をつけ、新しい衣装を着ると、別人のようになっていた。彼は立派な青年になっていて、父も兄たちも分からなかった。王は七日七晩、結婚を祝い、ヨハネスと王女を立派に結婚させた。（出典：Adolf Dirr, Praktisches Lehrbuch der ostarmenischen Sprache. Bibliothek der Sprachenkunde, Wien & Leipzig, ca.1910）[Dirr, 1867-1930]

article（冠詞）は比較的のちの発達で、ラテン語、サンスクリット語、ロシア語、フィンランド語には、ない。Life is a dream の life と dream を比較すると、表現の差異が見えてくる。the roof of the house, the wine we drank yesteray のような限定的な場合に用いられる。the は that の弱い形である。限定的でない場合は a roof, a house, a wine のように用いる。定冠詞は指示代名詞（deictic pronoun）から発達した。不定冠詞は、定冠詞よりもあとの発達で、ノルウェー語やアイスランド語のテキストを見ると不定冠詞がない場合が、よくある（英語なら不定冠詞があるはず）。定冠詞は the book のように名詞の前に置かれるが、スウェーデン語 bok-en（ブーケン 'the book'）のように名詞の後に置かれる（デンマーク語、ノルウェー語も同じ）。ブルガリア語も kniga-ta（クニーガタ；kniga 'book', -ta 'the'）のように後置される。ロシア語は定冠詞がないが、語順で示すことができる。u menya kniga（ウ・メニャ・クニーガ）は with me is a book（私のところに本がある）Kniga u menya クニーガ・ウ・メニャは The book is with me, The book I do have. その本なら私が持っている。定冠詞は固有名詞に

27

密着した形で残る。Le Havre（ル・アーヴル 'the harbor'）、Oporto（オポルトワイン：'the port'）

Ascoli, Graziadio Isaia ［アスコリ、アにアクセント］。イタリアの言語学者（1829-1907）。1861年以後Milano大学教授。印欧語、セム語、ドラビダ語、トルコ語、中国語も研究。主著 Sprachwissenschaftliche Briefe（Leipzig, 1887）xvi, 228pp. 手紙の形で音韻法則や言語基層（substratum）を論じた。Hugo Schuchardt と並んで青年文法学派（Junggrammatiker）の音韻法則に例外なしの主張に反対の立場をとった。substratum研究の必要を説いて、方言雑誌 Archivio Glottologico Italiano を創刊。uからiへの変化には必ずu＞ü＞iという中間段階が必要である。ギリシア語mythos＞míθos.

Avestan（アヴェスタ語）。ゾロアスター教の聖典Avestaの言語。古代イラン語の一方言。ザラスシュトラ Zaraθuštra を教祖とする宗教の聖典の言語。最古のものはGāthās（歌）と呼ばれる韻文の説教で、紀元前1000～600年ごろ。

B（発音）。ヨーロッパの大部分でbはラテン語の発音（有声唇閉鎖音 voiced labial stop）だが、南ドイツ、オーストリア、スイスのドイツ語圏ではbはpに近く発音される。burg（城）はpurkと発音される。スペイン語Cervantesのvは[b]（両唇摩擦音）なので、セルヴァンテスよりもセルバンテスのほうがよい。現代ギリシア語のbは［v］と発音される。外来語bar（バー）はmparと書かれる。Ball（舞踏会）はmpála［バラ］と書かれる。balaと書くとヴァラになるから。Bは学校の成績で「良」にあたる。Aは「優秀」。

Balkan linguistic union（Balkanischer Sprachbund；バルカン言語連合）。ギリシア語、アルバニア語、ブルガリア語、ルーマニア語の総称。後置定冠詞（ギリシア語を除く）、未来時制の形成法（'will' ＋ 人称形）、不定法の消失。ロシア語と同じように語頭のeを［je］と発音する。este［jeste］'is'. ルーマニア語のom-ul 'the man'（＜homo ille）はウオムルと発音される。

Bally, Charles（シャルル・バイイ, 1865-1947）。スイスの言語学者。Saussure の学生で、ジュネーヴ大学教授（1913-1939）。ソシュールの理論のうち、文体論（stylistics）を発展させた Linguistique générale et linguistique française（1932, 小林英夫訳『一般言語学とフランス言語学』岩波書店, 1970）はフランス語、ラテン語、英語、ドイツ語を比較したもので、微妙な差異、傾向、言語のもつ特質を描き出した。フランス語に精通していたので、Précis de stylistique（1905）, Traité de stylistique française（2巻1909）, Le langage et la vie（1913；小林英夫訳『言語活動と生活』岩波文庫、のち岩波書店, 1974）がある。

Balōčī（バローチー語）。イラン語の方言で130万人に話される。そのうち100万人はインドに、20万人はペルシアに。クルド語（Kurdish）に近く、go "with" はクルド語からカスピ海方言まで見られる。動詞は6個の人称があるが、現在と未来の時制は一つ。

Baltic languages（バルト諸語）。リトアニア語 Lithuanian, ラトビア語 Lettish, 古代プロシア語 Old Prussian（17世紀後半に死滅）。このうち印欧語比較文法に重要なのはリトアニア語と古代プロシア語である。リトアニア語は270万人、ラトビア語は150万人に話される。eleven, twelve の表現でバルト諸語はスラヴ語よりもゲルマン語に近い。（筆者は Alfred Senn；1921-1930 リトアニアに滞在；Pennsylvania 大学教授）

Bàrtoli, Matteo（バルトリ, 1873-1946）。イタリアの言語学者。Wien で Meyer-Lübke に学び、1907年以降 Torino 大学教授。最初の著作 Das Dalmatische, altromanische Sprachreste von Veglia bis Ragusa（1906）は死滅したダルマチア語の基本的な業績になっている。新言語学（neolinguistics）はクローチェ（Croce）の哲学とジリエロン（Gilliéron）の言語地理学（linguistic geography）を融合させ、その後、Giulio Bertoni と共著で Breviario di neolinguistica（1925）

を書いた。

Basque（バスク語；バスク語自称euskara, euskera）。フランスと
スペインの国境地帯、ピレネー山麓の西南部に60万人に話され
る系統不明の言語。バスク地方（Baskenland, Vasconia）はスペイ
ン側の4州（中心地San Sebastián）に50万強、フランス側の中心
地Bayonneに10万人弱。大部分はスペイン語かフランス語の二
言語併用（bilingual）である。ビスカヤ、ギプスコア、ラブール、
スール（Biscayan, Guipuzcoan, Labourdin, Souletin）の四つの文学
的方言があるが、1968年以降、バスク語アカデミー（Academia
de la Lengua Vasca, Bilbao）が、ギプスコア方言とラブール方言を
中心にした、統一バスク語（unified Basque, vasco unificado, euska-
ra batua）が誕生し、印刷物に広まりつつある。

　最古の文献は1545年ベルナト・デチェパレBernat Detchepareの
『バスク初文集Primitiae Linguae Vasconum』（バスク名Olerkiak『詩
集』olerki-akは"the works"の意味（-akは複数）。

　20世紀の純文学であるニコラス・オルマエチェアNicolas Or-
maecheaの『バスク民族Euskaldunak』は1934年完成、1950年出
版（出版までの艱難辛苦が窺われる）。バスク農民の生活と四季
を15章、11,842行の詩に歌った（フィンランドのカレワラを思
い出させる）。下宮『バスク語入門』大修館書店1979, 1996⁴.

　バスク語の発音は地域により異なり、Mr.の意味のjaunはフラ
ンス領ではジャウンと発音され、スペイン内ではハウンとかヤウ
ンと発音される。バスク語にはアクセントがなく、どの音節も均
等に発音する。これをisotoneという（コーカサスのグルジア語
でも同じでHugo Schuchardtの用語である；Über das Georgische.
Selbstverlag, Wien, 1895）。フランス語téléphoneは前から3番目の
音節phoneに、スペイン語teléfonoは前から2番目の音節léにある。
そこから借用されたバスク語telefono「電話」は四つの音節を同
じ強さで発音する。ただしelíza "church", elizá "the church"のよう

な音素的区別が見られる。バスク語は語頭にrが立ちえず、その前にeの母音を置く。errege「王」（ラテン語rege-m）、Erroma（Roma）。スペイン語の語頭のrは複振動でrey「王」、rico「金持ちの」はrrey, rricoのように発音される。語頭にrをきらう傾向はアルタイ系の言語やギリシア語やアルメニア語にも見られる。

　スペイン語、フランス語からの借用語が多い。beribil「自動車」はber自分、ibili行く、の合成語で、「自動車」の意味だが、普通はスペイン語autoを用いる。auto-zは「車で」。-zはバスク語である。文法特徴は能格（ergative）という格で、他動詞の主語は能格を用いる。ni-k etxe ona dut「私はよい家を持っている」のnikはni（私）の能格で、目的語「よい家をetxe ona」は主格である。etxeエチェは家で、形容詞on「よい」は名詞のあとに置かれる。-aは定冠詞語尾であるが、英語ではa good houseという場合にも定冠詞語尾を用いる。etxeは純粋のバスク語で、Ormae-chea（上記「バスク民族」の著者）は「かべ（wall）の家etxe」を持つ人」の意味。

　もう一つの特徴は他動詞の主語動詞の活用形における多人称性（polypersonalism）である。polypersonalismは動詞の変化形の中に主語・目的語・目的語複数の指標が表現される。dut 'I have it' を分析するとd「それを」u「もっている」t「私は」。目的語が複数（books）の場合はd-it-ut 'I have them' となる。

Baudouin de Courtenay, Jan（ヤン・ボドゥアン・ド・クルトゥネ, 1845-1929）。ヤンが名、ボドゥアンが姓。ポーランド、ワルシャワ生まれの、言語学者、印欧言語学者、音素の概念を導入。プラハ、次いで、ドイツのJenaでA.Schleicher, LeipzigでA.Leskien, K. Brugmannのもとで印欧言語学とスラヴ言語学を研究。1872-1875年St.Petersburg大学で比較言語学の私講師（Privatdozent）、Kazan大学で印欧比較言語学とサンスクリット語の教授。1868年、W.Schererとは別個にanalogyの重要性を指摘した。音素（pho-

neme）の発見者でもあった。Saussure と文通あり。Baudouin de
Courtenay, Izbrannye trudy po obščemu jazykoznaniju（Selected works
in general linguistics）, Moscow, 1963, 2 vols. 384pp.391pp.；A Baud-
ouin de Courtenay Anthology, The Beginnings of Structural Linguistics.
E.Stankiewicz 訳、Indiana 大学出版部、8 + 406 頁。

Bengālī（ベンガル語）。インド・イラン語の一つ。ガンジス川の
デルタ地域に 5000 万人に話される。11 世紀に始まる豊富な文学
をもつ。文法性はなくなり、人間の性は male とか female をつけ
て区別される。生物と無生物の区別が生じた。サンスクリット語
の格変化がなくなり、後置詞が発達した。動詞は単数と複数の区
別がなくなり、人称代名詞の主格はフランス語の c'est moi, 英語
の it's me のように斜格（oblique case）で表現される。ベンガルの
詩人ラビンドラナート・タゴール Rabindranath Tagore（1861-
1941）は 1913 年詩集『ギタンジャリ Gītāñjali』（gītā は歌、añjali
は合唱の意味）でノーベル文学賞を受賞。家族の愛、祖国への愛
が歌われる。

Berneker, Erich（エーリッヒ・ベルネカー , 1874-1937）。ドイツ
のスラヴ語学者。Hermann Paul, Rudolf Thurneysen, Ferdinand de
Saussure, Karl Brugmann, August Leskien に学び、1902 年 Praha 大学
教授、1909 年 Breslau 大学教授、1911 年 München 大学教授。1922-
1929 年 Archiv für slavische Philologie 編集。著書は Slavische Chres-
tomathie mit Glossaren（1902）, Die preussische Sprache（1896, with
a complete etymological dictionary）, Russische Grammatik（1897）,
Russisches Lesebuch（with a glossary, 1916^2）, Slavisches etymolo-
gisches Wörterbuch（1908-1913, M で中断）。ロシア語語源辞典は
Max Vasmer 1953-1958 を待たねばならなかった。

Bertoni, Giulio（ジュリオ・ベルトーニ, 1878-1942）。イタリアの
言語学者。1905-1920 スイスの Freiburg 大学、1921-1928 Torino 大
学、1928-1942 Roma 大学教授。Matteo Bartoli とともに neolinguis-

tica の提唱者。Archivum romanicum を創刊。著書は Programma di filologia come scienza idealistica（1923），Breviario di neolinguistica（with Bartoli, 1925）。

Bezzenberger, Adalbert（ベッツェンベルガー, 1851-1922）。Göttingen 大学教授（1879-1880）、のち Königsberg 大学教授。印欧言語学の雑誌 Beiträge zur Kunde der indogermanischen Sprachen（通常 Bezzenbergers Beiträge と呼ばれる）を創刊（1877-1907）。筆者の手元に W.Stokes und A.Bezzenberger：Wortschatz der keltischen Spracheinheit（Vandenhoeck & Ruprecht, 4. Aufl. 1894, 5版 1979, 337pp.）がある。見出し語がサンスクリット語の順なので、利用しづらい。

Bloch, Jules（ジュール・ブロック, 1880-1953）。フランスの言語学者。Sylvain Lévi と Antoine Meillet の教えに従ってインド言語学とドラビダ語（Dravidian）を研究。1919年、Robert Gauthiot の後を継いでパリの高等学院（École Pratique des Hautes Études）でインド諸語、ヒンドスタン語、タミル語（Tamil）を教えた。主著：La formation de la langue marathe（1920），L'indo-aryen du Véda aux temps modernes（1934），La structure grammaticale des langues dravidiennes（1946）

Bloch, Oscar（オスカル・ブロック, 1877-1937）。Gaston Paris と Jules Gilliéron の教え子で、言語地理学を専攻。主著：Lexique français du patois des Vosges méridionales（1915），Atlas linguistique des Vosges méridionales（1917），Dictionnaire étymologique de la langue française（1932）。

Bloomfield, Leonard（レナード・ブルームフィールド, 1887-1949）。アメリカの言語学者。主著 Language（1933）は言語学概論の古典として、アメリカはもちろん、日本でも広く愛読された。戦後、知識に燃えた若い世代は、こぞって Bloomfield のもとに馳せ参じた。Language は、全28章のうち、前半（5-16章）は構造

言語学を解説（その全貌を明らかにした）、後半（18-27章）は伝統的な歴史言語学（文化的借用 cultural borrowing もあり）を紹介した。第10章の Immediate constituents（直接構成素）分析や第12章の内心構造（endocentric construction）、外心構造（exocentric construction）が本書から日本、ヨーロッパに広がった。

Bloomfield, Maurice（モーリス・ブルームフィールド, 1855-1928）。アメリカの言語学者、サンスクリット語学者。オーストリア Bielitz 生。1867年に渡米、1881年 Johns Hopkins 大学でサンスクリット語と比較言語学教授。ヴェーダ語研究で最高の評判を得た。主著 The Hymns of the Atharva-Veda は Max Müller の Sacred Books of the East（1897）に、The Atharva-Veda and the Gopatha Brāhmana は J.G.Bühler の Grundriss der indoarischen Philologie und Altertumskunde（1899）に収められる。A Vedic Concordance（1907）。印欧言語学、一般言語学の分野でも貴重な発見があった。

Boas, Franz（フランツ・ボアス, 1858-1942）。アメリカの人類学者。Heidelberg, Bonn, Kiel 大学で物理学、数学、地理学を学び、1881年 Kiel 大学で物理学 Ph.D. を得る。地理学への関心から1883-1884 Hamburg から北極への探検隊に参加、Baffin Land で Eskimo 人を研究。ドイツに帰国後、Berlin の Royal Ethnological Museum の助手となり、Berlin 大学で地理学を教えた。1886年アメリカに来て、人類学を研究、Clark 大学で人類学講師、1896年 Columbia 大学人類学講師、1899年、教授。著書に The Mind of Primitive Man（1911, 1938）, Anthropology and Modern Life（1928）, General Anthropology（1938）, Race, Language and Culture（1940）, 編著に Handbook of American Indian Languages. Bureau of American Ethnology, Smithonian Institution, Washington D.C., Government Printing Office, reprint Oosterhout, The Netherlands, Anthropological Publications, 2 vols. Part 1, 1911, vii, 1069pp. Part 2, 1922, 903 pp. Thoemmes Press 2000. 82,895円。Part 2 のうち pp.1-296 が E.Sapir の The Takel-

ma language of southwestern Oregon, pp.891-903 が F.Boas の Chuk-
chee and Koryak texts. 上記のうち言語学にとって『アメリカン・
インディアン語のハンドブック』2巻が最重要。

Böhtlingk, Otto von（ベートリンク, 1815-1904）。インド語学者。
ペテルブルク生まれだが、家族はドイツの Lübeck 出身で、彼自
身はオランダの市民だった。1835年、ベルリンで Franz Bopp の
もとで、同年 Bonn で A.W.Schlegel のもとで学ぶ。1842年に St.
Petersburg で科学アカデミー名誉会員。Über die Sprache der Ja-
kuten. Grammatik, Text und Wörterbuch（Th.A.Middendorf, Reise in
den äussersten Norden und Osten Sibiriens, Bd.III, 1-2）. Sankt-Peters-
burg. lviii, 581頁 Rpt. of 1851. Hildesheim, Georg Olms, 1988. 本書は
印欧語以外の言語の最良の記述（W.Streitberg）、アルタイ言語学
の基礎となる。それ以上に有名なのは Pāṇinis Grammatik.
Leipzig,1887. Reprint Hildesheim, Georg Olms, 1971, xx, 837頁 San-
skrit-Wörterbuch, St. Petersburg, 1855-1875（東京, 名著普及会 1976,
4740頁）

Bopp, Franz（フランツ・ボップ, 1791-1867）。ドイツの言語学者。
1812-1816年パリでサンスクリット語を学ぶ。印欧語比較文法の
最初の完成者であった。Über das Conjugationssystem der San-
skrit-sprache in Vergleichung mit jenem der griechischen, lateinischen,
persischen und germanischen Sprache. Frankfurt am Main, 1816, xxxx-
vi, 312pp. reprint Hildesheim, Olms Verlag, 1975. 1825年 Berlin 大学
教授になってからは印欧語比較文法の建設に取り組み、1833年
に、Vergleichende Grammatik des Sanskrit, Zend, Griechischen,
Lateinischen, Litthauischen, Gotischen und Deutschen. Berlin, Abt.1,
Vorrede xviii, 288頁;Abt.2, Berlin, 1835, Vorrede viii, p.289-616pp.（こ
の巻から書名に Litthauischen の次に Altslawischen が加わる。
Abt.3, Berlin, 1842. Vorrede xv, p.617-1068. Abt.4, Berlin 1849, Vorre-
de, viii, p.1069-1511. Abt.5, 1849, Abt.6, 1852 を完成。改定第2版は

アルメニア語を加えて全3巻として1856-1861年に、第3版は
Bopp の没後1868年に出版された。初版の第1部から第3部まで
は Edward Backhouse Eastwick に英訳され、Franz Bopp, Compara-
tive Grammar of the Sanskrit, Zend, Greek, Latin, Lithu-anian, Gothic,
German, and Slavonic Languages. Part I & II. London, 1845, xv, p.1-
952; Part III. London, 1850, p.953-1462 として出版された（reprint
Hildesheim, Georg Olms, 1985）。

次は Bopp の語根 ad 'essen' の人称変化。

			双数	
3人称単数	Atti, statt adti		Attaha, statt adtah
2人称	Atsi,	adsi	Atthah, statt adthah
1人称	Admi,	admi	Advah
3人称複数	Adanti		
2人称	Attha, statt adtha		（語根のDはWohllaut好音法により
1人称	Admah		tとsの前でtに）［sandhī］

Braune, Wilhelm（ヴィルヘルム・ブラウネ, 1850-1926）。ドイツ
の言語学者。1877-1880 Leipzig で、1880-1888 Giessen で、1888-
1919 Heidelberg で教える。青年文法学派（Junggrammatiker）の一
人としてゴート語、古代高地ドイツ語を専攻。Gotische Gramma-
tik mit Lesestücken und Wörterverzeichnis（Max Niemeyer, 1880, xii,
198pp.；20版、新版2003, 300pp.）は100年も続いている教科書。
同じく Althochdeutsches Lesebuch（Max Niemeyer, 1875, 14版1962,
viii, 257pp.）も100年以上教科書として用いられる。Althochdeut-
sche Grammatik（1886, 11版1963, xii, 349pp.）も教科書として100
年以上用いられた。

Brøndal, Viggo（ヴィッゴ・ブレンダル, 1887-1942）。デンマーク
の言語学者。Saussure とプラハ学派に学び、ロマンス語とゲルマ
ン語における基層（substratum）と借用を扱った Substrater og Laan
i romansk og germansk（1917, 215pp.）は博士論文。Essais de lin-
guistique générale（Copenhagen, 1943, 172pp.）, Les parties du dis-

cours（1948, 173pp.）, Théorie des prépositions. Introduction à une sémantique rationnelle（xxii, 145pp.）。Louis Hjelmslevの glossematics を追求したのではないが、コペンハーゲン学派の代表だった。名前 Brøndal は泉（brøn）谷（dal）の意味。

Brückner, Alexander（アレクサンダー・ブリュックナー, 1856-1939）。ポーランドの作家、歴史家、文献学者、言語学者。Lwów（ルヴフ）で学び、1881年 Berlin 大学教授。主著 Böhmische Studien（1887-1892）, Średnowieczna poezja lacinska w Polsce（1902-1904, ポーランドにおける中世ラテン詩）、Dzieje polskiej literatury w zarysie（1908, ポーランド文学史素描）, Dzieje języka polskiego（1914, ポーランド語の歴史）、Słownik etymologiczny języka polskiego（1906, ポーランド語語源辞典）。

Brugmann, Karl（カール・ブルークマン, 1849-1919）。ドイツの言語学者。印欧語比較文法を完成。青年文法学派（Junggrammatiker）の旗手。1882年以後、没するまで Leipzig 大学印欧言語学教授。主著 Grundriss der vergleichenden Grammatik der indogermanischen Sprachen（1886-1900；xlvii, 1098, 2737, 795, 560, 608pp. 5巻のうち 3,4,5 は Berthold Delbrück の Indogermanische Syntax）。F. Bopp, A.Schleicher に続く第3代の印欧語比較文法。Joseph Wright ほかによる英訳 Elements of the Comparative Grammar of Indo-Germanic Languages（5 vols. New York, 1888-1895, 2140pp. index, 1895, 258pp. 『ギリシア語文法』（1885）は言語学者の聖書だった。

Brunot, Ferdinand（フェルディナン・ブリュノー, 1860-1938）。フランスの言語学者。1900年以後 Sorbonne でフランス語の歴史を教えた。主著 Histoire de la langue française は第1巻が1905年、第10巻は1943年、没後に出た。

Buck, Carl Darling（カール・ダーリング・バック, 1866-1955）。アメリカの言語学者。主著 A Dictionary of Selected Synonyms in the Principal Indo-European Languages（University of Chicago Press,

1949, xix, 1515pp.）1428個の概念が22の章（世界、大地、太陽、山、川、人類、男女、父、母、動物、飲食、衣服、住居、農業、時）においてギリシア語、ラテン語、ロマンス諸語、ゲルマン諸語、スラヴ諸語、など31言語で記されている。「世界」worldのギリシア語はkósmos、ラテン語はmundus。ロシア語mirは「平和」の意味もある。mir miru（世界に平和を）。breakfastはギリシア語akrātisma、ラテン語ientāculum、フランス語petit déjeuner、スペイン語desayuno、英語breakfast、古代ノルド語dagverðr（一日の食事）、ロシア語zavtrak（cf.zavtra「明日」）。「結婚する」英語marryは男女とも同じ、スペイン語casarseは「家をもつ」の意味。ロシア語は男性 ženit'sja（妻を得る）、女性は výiti zámuž（夫のもとに出て行く）。

Būga, Kazimieras（カジミエラス・ブーガ, 1879-1924）。リトアニア St.Petersburgで言語学を学び、1916年に私講師（Privatdozent）となり、1920年、祖国が独立を獲得すると、1922年Kaunas大学のLithuanian philologyの教授になったが、わずか2年ののちに没した。Vocabulary of the Lithuanian Languageに20年を費やしたが、生前2分冊しか出版されず、ぼう大な資料は第二次世界大戦で消失したらしい。

Bugge, Sophus（ソーフス・ブッゲ, 1833-1907）。ノルウェーの言語学者、文献学者。Christiania大学（のちOslo大学と改名）で1866年から没するまで言語学と古代ノルド語を教えた。主著はエッダ研究Norrøn Fornkvæði, 1867だが、Altitalische Studien（1878）, Lykische Studien（1897-1901）, Das Verhältnis der Etrusker zu den Indogermanen und der vorgriechischen Bevölkerung Kleinasiens und Griechenlands（1909）など印欧言語学関係もある。

Bühler, Georg（ゲーオルク・ビューラー, 1837-1898）。1881年Wien大学教授。Grundriss der indo-arischen Philologie und Altertumskundeの創始者。Bootunglück auf dem Bodensee. ボーデン湖で

ボートが転覆し死亡。Leitfaden für den Elementarkursus des Sanskrit. Wien 1883, 1927², reprografischer Nachdruck Wissenschaftlicher Buchgesellschaft, 3. unveränderte Aufl. 1968. 135pp. Glossare zu den Uebungsstücken. Sanskrit-Deutsch pp.136-155. DeutschSanskrit（1500語 pp.156-171）。サンスクリット語は受動形を好む。janair nagaram gamyate=es wird in die Stadt gegan-gen=man geht in die Stadt.

Bulgarian（ブルガリア語）。スラヴ語の一つで、650万人に話される。バルカン半島の周囲の言語の影響（Balkan linguistic alliance, balkanischer Sprachbund）で、スラヴ語から最も逸脱した言語、most westernized language of the Slavic languagesになった。その特徴は、1. 後置定冠詞 kniga-ta 'the book'（これはノルド諸語と同じ：bok-en 'the book'）。2. declensionの消失（英語と同じように前置詞を用いる）。3. 不定詞（infinitive）の消失（I want to goをI want that I goという）。4. hypotaxisの代わりにparataxisを用いる。5. 慣用句、ことわざ、など。ブルガリア語はanalytic languageになってしまった。これらの改新（innovations）の多くは中世ギリシア語から現代ギリシア語にかけての影響である。ブルガリア語はスラヴ語ではなく、アルタイ語を話す民族の言語で、BulgariaはVolga民族の意味だった。

C（発音）。ラテン語はCiceroをキケローと発音した。ギリシア語のkの文字をもたなかったからである。ラテン語から発達したイタリア語もkの文字はなく、centumは、kが口蓋化してcentoチェントとなった。スペイン語はcientoのciが［θ］となり、シエントと発音される。ポルトガル語はcento［sentu］、フランス語はcent［sã］である。ラテン語Caesarはドイツ語Kaiser（カイザー）として借用され、「将軍」の意味となる。英語はecho, chaos, architectなどギリシア語からの借用語は［k］と発音する。

cant（隠語）。特殊な社会の人々の間に用いられることばで、スラング（slang俗語）やジャーゴン（jargon専門語）と異なる。

ヨーロッパのcantは共通の特徴をもっており、地中海のcantは
「パン」をarto（cf.ギリシア語artos）といい、「水」をlenzaという。
bisto「牧師」はpriestからきている。イタリア語presto（急いで、
早く）を逆にしてstopreと言ったりする。類音（assonance）や韻
（rhyme）が好まれる。twist and twirlはgirlの意味に、storm and
strifeはwifeの意味に、lump o'leadはheadの意味に用いられる。
イタリア語の隠語でmandare in Piccardiaはfare impiccare（絞首刑
にする）の意味である。フランス語の隠語aller à Rouen（ルーア
ンに行く）はse ruiner（破滅する）の意味である。イタリア語の
cantで「私」のことをmanelloとかmammaという。「きみ」はtua
madre（きみの母）という。詩的な表現もある。「ダイヤモンド」
をiceとかsparklerという。「回転式ピストル」をrodという。「罪
人」を「シマウマzebra」という。

アメリカのcantの例：「麻薬」はice-tong,「麻薬提供者」はice-
tong doctor. 牢獄仲間はbreadをpunk, sugarをsandという。「判決」
はbitという。prison（牢獄）はbig house, reformatory（矯正施設）
はcollegeという。

Carian（カーリア語）。小アジアの言語で、ホメロス、ほかギリ
シアの作家が言及している。76のカーリア碑文が残っていて、
西ギリシアのアルファベットで書かれ、音節文字（syllabary）で
書かれたものもある。碑文は、読むことはでき、印欧語でないこ
とは確かだが、まだ解読されていない。大部分はエジプトで発見
され、プサンメティコス王1世（663-609 B.C.）か2世（593-588
B.C.）に仕えていた傭兵（mercenaries）が書いた。Cariaは小アジ
アの国で、エーゲ海に、北はIonia, Lydiaに、東はLycia, Phrygia
に隣接。

Castrén, Matthias Alexander（マティアス・アレクサンデル・カ
ストレン、アクセントはcá：1813-1852）。フィンランドの言語学
者、民族学者。1838-1843年、スカンジナビア、ロシア、シベリ

アに住むフィン・ウゴル、チュルク、モンゴル諸民族をフィールドワークし、その成果はElementa grammaticae SyrianaeとElementa grammaticae Tcheremissiaeにまとめられた。1845年、Irtysh, Yenisei, 1847年、モンゴル近辺のバイカル湖を訪れ、タタール語、ツングース語、ブリヤート語、瀕死のカマス語を研究、その成果はVersuch einer ostjakischen Sprachlehre；De affixis personalibus linguarum Altaicarumとしてまとめられた。1852-1858にスウェーデン語で5巻に出版され、ドイツ語訳がAnton Schiefner（1817-1879；Kalevalaのドイツ語訳1852）により出版された。Schiefnerは「カレワラ」のドイツ語訳者。

Caucasian languages（コーカサス諸語）。コーカサス山岳地帯は言語の山（Berg der Sprachen）と呼ばれ、40言語が500万人に話される（ロシア語やチュルク系の言語を除いて）。その40言語は南コーカサス、西コーカサス、東コーカサスの三つの言語群に分けられるが、それらが互いに親族関係にあるか否かは、まだ確立されていない。コーカサス諸語は他のいかなる語族とも親族関係がなく、孤立した言語群である。このうち最も重要なのは言語人口350万のグルジア語（Georgian, gruzinskij）である。コーカサス諸語の特徴は、1. 三系列の閉鎖音（p, ṗ, ḳなどの上下の黒点は声門閉鎖glottoclusivaeを伴うことを示す）；2. 母音の貧弱と子音の豊富；3. 能格ergative（グルジア語の例）「猟師は鹿を殺した」monadire-m「猟師は；mは能格語尾」irem-i「鹿を；-iは主格語尾」mo-ḳla「殺した」（A.Dirr, Einführung in das Studium der kaukasischen Sprachen. Leipzig, 1928, p.64）。Adolf DirrはTbilisiで教師をしながらグルジア語とアルメニア語を学んだ。

centum（ケントゥム諸語）。ラテン語centum（100）のように、印欧語族の中で、k音が残っている言語（ゲルマン語はkがhになった）。ラテン語からきたイタリア語、スペイン語、フランス語は、cento, ciento, cent［チェント, シエント, サン］となった。

centum諸語は西ヨーロッパ、これに対するsatem（サテム）諸語は東ヨーロッパの言語（ロシア語stoストー「100」）である。

Chamberlain, Basil Hall（バジル・ホール・チェンバリン, 1850-1935）。イギリス人で、東京帝国大学で博言学（言語学）と日本語学を教えた（1886-1890）。古事記の英訳（Records of Ancient Matters）、『日本事物誌Things Japanese』1905がある。これは外国人のための日本小百科事典である。君が代の英訳（下記）もある。

君が代は	A thousand years of happy life be thine！
千代に八千代に	Live on, Our Lord, till what are pebbles now,
さざれ石の巌となりて	By ages united, to great rocks shall grow,
苔のむすまで	Whose venerable sides the moss doth line.

　脚韻abca, 1,2,4行は弱強5歩格（iambic pentameter）

　3行目unitedを 'nitedとできれば弱強5歩格となる。

Champollion, Jean-François（ジャン・フランソワ・シャンポリオン, 1790-1832）。フランスの文献学者でロゼッタ・ストーンの解読者。1799年のナポレオン遠征中、Nile河口Rosettaで発見された石碑が象形文字（hieroglyphic）、民衆文字（demotic, ギリシア語の）で書かれ、Ptolemaios, Berenike, Aleksandosのような有名な名が記されていたことが解読を助けた。エジプトの象形文字はHolger Pedersenの『19世紀言語学』（1924年版p.158）に載っている。1831年、パリのコレージュ・ド・フランスに彼のためにEgyptologyの講座が設けられた。エジプト語の文法と辞書を書いた。

Chantraine, Pierre（ピエール・シャントレーヌ, 1899-1974）。フランスの言語学者、文献学者。ギリシア語の著作が多い。Antoine MeilletとAlfred Ernoutの教え子。ホメロスの言語とコイネー（共通語の意味；紀元前5世紀から前3世紀ごろ）を研究。L'histoire de parfait grec（1927）, La formation des noms en grec ancien（1933）, La grammaire homérique（vol.1, 1942）。

Cimmerian（キンメリ語）。紀元前7世紀まで南ロシアに住んでいた Cimmeri 人（ギリシア語 Kimméroi, アッシリア語 Gimiri）の言語。スキュタイ人（Scythians）により追放された。アッシリア語 Šandakšatru（キンメリア王の名）はアヴェスタ語 čandra-χšaθra 'possessing splendid dominion' の意味。Dugdammē（ギリシア語 Lúgdamis）は dugda-maēši 'possessing milking ewes' の意味。Teušpa は古代ペルシア語 Čaišpiš, ギリシア語 Teíspēs と比較しうる。ギリシア語は č 音を持たないので、t が用いられる。

compound（複合語）。post card と書けば noun phrase だが postcard と書けば compound となる。dry goods は karma-dhāraya（mahārāja 'great king'）だが、dry goods store は bahuvrīhi 'viel Reis habend' の表現である。

名詞＋名詞：gaslight

形容詞＋名詞：blackbird

代名詞＋名詞：she-goat

動詞＋名詞：cutthroat 人殺し, drawbridge 跳ね橋、breakfast

前置詞＋名詞：overcoat

名詞＋形容詞：snow-white, seasick

形容詞＋形容詞：blue-green, clean-cut

前置詞＋動詞：offset, overcome

形容詞（or 名詞）＋動詞：safe-guard, typewrite, whitewash

人名で：Shakespeare（spear-shaker 槍を振る人、軍人）、Doolittle（怠け者）；Drinkwater（水を飲む人）；フランス語 Boileau（bois l'eau）水を飲め；イタリア語 Bevilacqua（水を飲め）；Thank-you-ma'am（いつもありがとうを言うマダム）

conjugation（活用）。動詞の語形変化で、人称、数、時制、法、態を示す。ラテン語の例で示す。amō（愛する）の人称変化 amō, amās, amat,（複数）amāmus, amātis, amant；時制 amāvī (I loved), amābam (I was loving, I used to love), amāveram (I had loved)；法

43

amem（I might love）；態amor（I am loved），amātur（he is loved）。英語は助動詞で表現される。

conjunction（接続詞）。語と語、文と文を結ぶ。Peter and Paul, I came and I saw（veni, vidi）. 接続詞が前置詞で表現される場合がある。I knew it before he arrived. は接続詞だが、I knew it before his arrival. とすれば前置詞になる。従属接続詞は、並置接続詞よりも発達が遅かった。従属文（independent sentence）の発達は、一般に、のちの発達である。notwithstanding（…とはいえ）、in-as-much as（…であるかぎりは）、in view of the fact that（…を考慮して）のような仰々しい（exaggerated）表現もある。

Conway, Robert Seymour（ロバート・セイマー・コンウェイ、1864-1933）。英国の言語学者、文献学者。1903年、マンチェスター大学のラテン語教授。印欧比較言語学を研究したのちラテン語の研究に専念した。彼は偉大な学者で、その指導のもとに、多くの学者が育った。イタリアの歴史、地理、宗教を研究し、Italic Dialects（1897），The Making of Latin（1923），The Restored Pronunciation of Greek and Latin（1926, with A.E.Vernon），Ancient Italy and Modern Religion（1933），The Prae-Italic Dialects of Italy の第1巻（1933, with J.Whatmough and S.E.Johnson）. ［1995年 R.S.Conway印の雑誌『印欧語研究 Indogermanische Forschungen』が Bayreuth大学図書館にあった］

Cook, James（ジェームズ・クック、1728-1779）。英国の海軍士官、探検家。1755年海軍に入隊し、1759-1767年、St.Lawrence River と Labrador, Newfoundland の海岸を調査。1768-1779年、Endeavour, Resolution, Adventurer号の船長としてオーストラリア、ニュージーランド、南海諸島を発見し、数々の発見をした。医者、天文学者、植物学者、画家を同伴し、島の様子を記述させた。1776-1779年、北太平洋からアメリカ大陸を横断して大西洋にいたる通路を発見すべく、北米の北西海岸をくまなく探検し、アラスカ

からハワイ諸島（サンドイッチ諸島）に達し、そこから英国への帰途、ハワイの土着民に殺された。奪われたボートを取り戻すためだった。享年51歳だった。

　長い航海においては、野菜不足のため壊血病（scurvy）にかかることが多いが、クックは船上で野菜を栽培し、また麦芽汁を作って船員を病気から救った。彼は島に上陸する前に、安全か、危険か、島のにおいを嗅ぐことができた（he could smell land）。

　『キャプテン・クックの太平洋航海記』（荒正人訳、筑摩書房、1961）や『クック太平洋探検』（増田義郎訳、岩波文庫、全6冊）がある。タヒチ島は現地人にはオタヘイテ（Otaheite）と呼ばれ、Otaheite apple, Otaheite gooseberryの名に残る。下図はタヒチ島（1769）で、An Arcadia of which we are going to be Kings（われわれは王さまになったようなアルカディア）は歓迎の様子を示している。Arcadiaはギリシアの理想郷で、ジョセフ・バンクス（1743-1820）は同行の植物学者である。

　出典はThe Explorations of Captain Cook in the Pacific 1768-1779. Ed. A.Grenfell Price. The Heritage Press, New York（出版年記載なし）p.34, 東海大学。

TAHITI, 1769

"An Arcadia of which we are going to be Kings."
JOSEPH BANKS

COOK HOISTED HIS PENNANT AND TOOK CHARGE OF THE *Endeavour* in the Thames on 27th May 1768. He sailed from Plymouth on Friday, 26th August, and in September took in at Madeira stores, including fresh onions,

この島の主食はパンの実、ココナツ、魚、ブタ、イヌ、ニワト

リだが、イヌの肉は英国のヒツジの肉のように、やわらかく、おいしい。ここのイヌは草が主食だからである。このあたりの様子はクックが友人にあてた手紙（London, 1771）に書かれている。

Nature hath not only provided them with necessarys but many kinds of the luxuries …Loaves of bread grow here upon trees. A South Sea Dog eat as well as English Lamb…. (Captain James Cook's Voyage of the Endeavour 1768-1771 in 4 volumes. Ed. by J.C. Beaglehole. Cambridge 1968. Vol.1, p.506. 東海大学)

われわれの先祖は、さまざまな呪いを受けたが、この住民は例外らしい。汝の額に汗してパンを食べよ、という聖書の言葉は彼らには当てはまらないように思われる。恵み深い自然が、必需品だけでなく、ぜいたく品も彼らに提供しているのだ。パンの実（や、ほかの果実）は自然に木に生える。南海のイヌは英国のヒツジの肉のように、おいしく食べられる。彼らは、われわれが以前に訪れた南海諸島の住民と同じ言語を話す。［A South Sea Dog eat as well as English Lamb. ここの eat は接続法；ここでは The book sells well. 本はよく売れる、のように受動態的。

タヒチ語（Tahitian；言語人口5万）は、ハワイ語（Hawaiian,

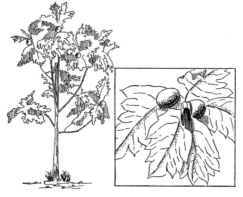

パンの木とパンの実（breadfruit, artocarpus）

言語人口1.5万）と同じく、ポリネシア語派（Polynesian）に属し、さらに大きくはオーストロネシア諸語（マライ・ポリネシア諸語）に属す。tattoo（入れ墨）はタヒチ語から英語に入った。

cuneiform（くさび形文字）。［ラ cuneus くさび］

　古代ペルシア、バビロニア、アッシリア、カルデアの文字。絵文字（pictographs）から始まったらしい。

Curme, George Oliver（ジョージ・オリバー・カーム, 1860-1948）。アメリカの文献学者。1882-1884年、ドイツ語とフランス語を教えた。1896-1933年、Northwestern 大学 Germanic Philology 教授。Grammar of the German Language（1905, revised ed. 1922）により Heidelberg 大学から Ph.D. を贈られた。Grammar of the English Language 3 巻の Syntax（1931）, Parts of Speech and Accidence（1935）.

　戦前の生徒は、みな Syntax（1931）を暗記するほど読んだものよ、と前島儀一郎先生（1904-1985）の奥様、前島清子さん（津田塾大学英文科卒、成城短期大学教授）が語った。

Curtius, Georg（ゲーオルク・クルツィウス, 1820-1885）。ドイツの言語学者。歴史家 Ernst Curtius（1814-1896）の弟。Bonn と Berlin に学び、Berlin, Praha, Kiel, Leipzig で教えた。Franz Bopp のもとで学び、Indo-Europeanist だったが、ギリシア語研究に専念し、Griechische Schulgrammatik（1852）は 50 年間に 23 版も出た成功作であった。青年文法学派（ブルークマン）に反対し、Zur Kritik der neuesten Sprachforschung（1885）で報いた。Die Sprachvergleichung in ihrem Verhältnis zur classischen Philologie（1845）, Die Bildung der Tempora und Modi im Griechischen und Lateinischen sprachvergleichend dargestellt（1846）, Grundzüge der griechischen Etymologie（1858-1862）. 没後 Kleine Schriften を Ernst Windisch が出版（1886）。

Czech（チェコ語）。ボヘミア、モラビア、チェコで 1000 万人に話される。チェコ語は西スラヴ語に属し、その特徴は（1）tort,

toltが tart, talt となる。*gordŭ ＞ hrad「城」；*golva ＞ hlava「頭」；
(2) g ＞ h（例は上記2語）；(3) ĭ, ŭ ＞ e：dīnĭ ＞ den「日 day」，
sŭnŭ ＞ sen「夢」（ロシア語 son）；(4) řの存在（ržに近い）
Dvořák ドヴォルザーク、ドヴォジャーク；(5) 語のアクセント
が語頭にくる。これはドイツ語の影響と考えられる。そして、そ
れ以上である。Československo（チェコスロバキア）が dó
Československa（チェコスロバキアへ）となり、Práha（プラハ）
が dó Prahy（to Praha）となる。2003 年7月、国際言語学者会議
（第17回）に参加のため、通りを歩いていると、Pokorný という
名の不動産屋が目にとまった。Julius Pokorny（1887-1970）はチェ
コ生まれ、ベルリン大学ケルト語教授だったが、ナチスのために
大学を追われ、スイスに渡り、「印欧語語源辞典」Indogerman-
isches etymologisches Wörterbuch（Bern-München, 1959-1969）を完
成した。チェコ語人名の語尾 -ý は český（チェコの）のように形
容詞男性語尾だが、Dobrovský, Neustupný, Novotný など、人名に
多い。

D（発音）。ギリシア文字Dは delta の形をしている。d は母音間で
有声摩擦音 voiced fricative になる（英語 father）。ドイツ語の語末
の d は [t] となる。wird [virt] "he becomes"

Dalmatian（ダルマチア語）。ユーゴスラビアの Dalmatia 地方の言
語で、ロマンス語の一つで、死滅してしまったが、イタリアの
Ragusa（Dubrovnik）からの1397年の文書があり、Fiume 近くの
島 Veglia で最後の speaker が1898年に亡くなった。kenur（cēnāre
食事する）のように e の前の k が保たれる。pt（siapte ＜ septem），
mn（damno ＜ damnum）が保たれる。未来完了 cantā-verō が残る
（kantu-ora）。他のロマンス語には残らなかった albus, densus, udus
（湿った）が残っている。ダルマチア語の単語が多数ユーゴスラ
ビアの言語に入っている。

D'Arbois de Jubainville, Henri（アンリ・ダルボワ・ド・ジュバ

ンヴィル, 1827-1910)。フランスのケルト語学者。1881年Collège de France（Paris）のケルト語教授。主著 Les habitants de l'Europe d'après les auteurs de l'antiquité et les recherches les plus récentes de la linguistique（1877）。

Darmesteter, Arsène（アルセーヌ・ダルメステテル, 1846-1888）。下記の兄。ロマンス語学者。ソルボンヌ大学教授（1883-1888）。La vie des mots（1887）は意味論入門書。Dictionnaire général de la langue française（1895-1900, 2巻）とCours de grammaire historique de la langue française（1891-1895）。

ダルメステテルの法則（Darmesteter's Law）。ラテン語manducare, acceptareの第2音節と第4音節が消失し、第1音節と第3音節の母音が残りmanger, acheterとなる。

Darmesteter, James（ジェームス・ダルメステテル, 1849-1894）。上記の弟。フランスの東洋語学者。1885年以後Collège de France でZend語（Avesta語）教授。主著：Le Zend-Avesta, traduction nouvelle avec commentaire historique et philologique, 3巻1892-1893；Études iraniennes（1883）, Les origines de la poésie persane（1888）; Lettres sur l'Inde（1888）.

Décsy, Gyula（ジュラ・デーチ, 1925-2008）。インディアナ大学教授Gyula（=Julius）Décsyの名は1967年4月、東京教育大学大学院で徳永康元先生（1912-2003）の「フィン・ウゴル言語学」の授業で知った。DécsyはEinführung in die finnisch-ugrische Sprachwissenschaft（Wiesbaden, 1965）のあと、Die linguistische Struktur Europas（Wiesbaden, 1973）の著書がある。著者について詳しく知りたいと思っていたところ、1974-1975年の冬学期バスク語研究のためにスペインのサラマンカ大学に学んでいたとき、大学のロマンス語科でベルギーの雑誌Orbisの中に経歴を発見した。それによると、1925年Negyed（ネジェド、当時チェコスロバキア）に生まれ、1943-1947年ブダペストとブラチスラバで文

献学研究、1955年9月言語学研究候補（Ph.D.に相当）、1956年12月西ドイツに移住。1957-1959, Göttingen大学ハンガリー語講師、1959年2月Hamburg大学でフィン・ウゴル言語学教授資格（Habilitation）取得、1959-1965年Hamburg大学Privatdozent（私講師）、1963-1964 Indiana大学ウラル・アルタイ研究のVisiting Professor, 1965年5月Hamburg大学の員外教授、1967年1月『ウラル・アルタイ年報』編集長。著者から贈られた『著作目録1947-1975』（Wiesbaden, 37頁）,『言語普遍性のカタログ選』（Eurolingua, Bloomington, 1988）も有益。デーチから学んだことは、ボンファンテ（Giuliano Bonfante, Columbia大学）からと同様、あまりにも多い。Die linguistische Struktur Europas（ヨーロッパの言語的構造, Wiesbaden, 1973）は近代言語学（1816-1995）の主要50図書の一つとして筆者の『言語学I』（研究社, 1998）の中で解説した。『アンデルセン余話10題、ほか43編』（近代文藝社2015）

Devoto, Giacomo（ジャコモ・デヴォート, 1897-1974）。イタリアの言語学者。BerlinのWilhelm Schulze, BaselのJacob Wackernagel, ParisのAntoine Meilletのもとに学び、Càgliari, Padova, Firenzeで教授。主著は四つの分野に分かれる。1. 一般言語学（Adattamento e distinzione nella fonetica latina, 1923）；2. 古代イタリアにおける言語と文化（Gli antichi Italici, 1931）, Storia della lingua di Roma（1939）；3. テキスト解釈Tabulae Iguvinae, 1937；4. 近代文語の語彙と文体論（Dizionari di ieri e di domani, 1946）。最後に大著Gli origini indoeuropei（521pp.1962）。早稲田大学イタリア語教授・菅田茂昭氏（1932-）はDevotoのもとで学んだ。

diacritical marks（補助記号；ギリシア語diakrínein区別する）。ラテン文字は近代語の音を表すのに不十分なので、他の手段が考案された。英語janitor（守衛）のjはサンスクリット語Jātaka（ジャータカ；インド説話集）ではよいが、ドイツ語Japan（ヤーパン；日本）では異なる。サンスクリット語のjはアヴェスタ語

ではjと書かれ、ロマンス語では（i, e の前で）gと書かれ、別の書物ではdžと書かれる。古代高地ドイツ語ではë（gëhan 'gehen'）はopen eを表した。古い表記ae, oe, ueは現代ドイツ語で表記が変わり、ä, ö, üになった。a,o,uの上の ¨ を「変音記号」ウムラウトという。umlaut = mutation.

フランス語tête, fenêtre, sûr, mûr, remercîmentは古くはteste, seur, meurのように書かれていたが、16世紀のフランスのギリシア語学者がê, û, îの文字（記号）を考案した。（エスペラント語のĉはchildのチ、ĝはJapanのジを表す：ĉapoチャポ「帽子」；ĝardenoジャルデーノ「庭園」）

フランス語ça et là（サエラ、あちらこちらに）のçaのçを導入したのは、1562年、フランス人Geoffroy Toryで、この記号をcé-dille（セディーユ）というが、語源はスペイン語cedilla（小さなceta：ギリシア語dzêta ゼータより）である。フランス語からの借用語、英語Provençalやfaçadeに見える。- (hyphen) はprince-ling, in-comeのように、意味的・語源的な切れ目を表す。* (aster-isk) は推定形に用いられる。ギリシア語*woinos > oinos > ラテン語vīnum > 英語wine.

dialect（方言）。語源はdiá-lektos「その地方で話される」である。アメリカ英語（American English）はイギリス英語（British English）の方言なのか、定義も実用もむずかしい。ギリシア語は都市になったアテネ方言が標準語になった。日本には、大きく分けて、京都方言と東京方言があるが、ラジオ放送が全国に及んで、東京方言が共通語になった。京都方言は「おはようございます」の最後を -masu（マスウ）と -uをはっきり言うが、東京では -mas（マス）で、最後の -uが脱落する。東北ではエイゴ（英語）がイイゴになる。

Diez, Friedrich（フリードリッヒ・ディーツ, 1794-1876）。ドイツの言語学者、ロマンス語学者。ロマンス言語学の創始者と呼ばれ

る。Bonn大学教授。RaskやBoppの印欧言語学をロマンス語に応用しGrammatik der romanischen Sprachen（3 vols. 1836-1843）とEtymologisches Wörterbuch der romanischen Sprachen（1854）を出版した。のち、Meyer-Lübkeがこれに代わった。

Dirr, Adolf（アドルフ・ディル, 1867-1930）。グルジアのTbilisiで教師をしながらグルジア語とアルメニア語を学び、『グルジア語教本』1904,『東アルメニア語教本』1910は、ともにWien-LeipzigのBibliothek der Sprachenkundeの出版で、この叢書は193言語を揃えた。雑誌Caucasica（1924-1934）を発行。Einführung in das Studium der kaukasischen Sprachen（Leipzig 1928, 391 pp.）

Dottin, Henri Georges（アンリ・ジョルジュ・ドッタン, 1863-1928）。フランスのケルト語学者。Henri d'Arbois de Jubainvilleの教え子。Manuel d'irlandais moyen, grammaire, textes et glossaire（1913）, La langue gauloise（1920；文法、テキスト、語彙）がある。

Du Cange, Charles du Fresne（シャルル・デュ・フレーヌ・デュ・カンジュ, 1610-1688）。フランスの古典学者。Historia byzantina duplici commentario illustrata（1680）, ラテン語のGlossarium（1678）, ギリシア語のGlossarium（1688）.

E（発音）。ここにはBonfanteの記述ではなく、Eugenio Coseriu（1979）を採る。スペイン語の音韻体系に音素/e/が存在する。これが規範（norma）において［é］と［è］として現れ、具体的な言（parlare concreto）において［e_1］［e_2］［e_3］…として実現される。エウジェニオ・コセリウ（1921-2002）はルーマニア生まれ、1966年以降西ドイツTübingen大学ロマンス言語学・一般言語学教授。コセリウ著、下宮訳『一般言語学入門』東京、三修社1979, 第2版2003）。

East Germanic（東ゲルマン語）。ゴート語、ブルグンド語、ヴァンダル語であるが、主要な文献はWulfilaが西暦4世紀にゴート語に訳した新約聖書（約4分の3）、旧約聖書ネヘミアの断片、Skeireins（スキーリーンス：ヨハネ伝の断片の解説skeireinsは「解説」の意味）である。ゴート語はゲルマン諸語のうち、他には見られない古形を保存しており、ゲルマン語比較文法に貴重な資料を提供する。dags「日」の単数主格語尾-sはギリシア語hípposの-os, ラテン語equ-usの-usにあたる。古代ノルド語ルーン文字stainaRには-arが見られる。複数対格dag-ansの語尾-ansはギリシア語クレタ方言のlyk-ons（オオカミたちを）の-onsにあたる。

Esperanto（エスペラント語）。1887年、ポーランドのユダヤ系眼科医Lazarus Ludwig Zamenhof（1859-1917）が考案した人口語。世界の人が、同じ言語で話せば、戦争はなくなるだろう、と考えた。「希望する者」の意味。esperarに-antoがついたもの。エスペラント人口は30万〜100万人といわれる（Lingua Posnaniensis 45, 2003）。別の統計では100か国に100万人。文法は簡潔明瞭で、16か条からなる。ロシアの作家トルストイは2時間で学習できると言っている。フランスの科学アカデミーはエスペラント語を理論と簡潔の傑作と呼んだ。名詞はすべてoにおわる（amo愛；floro花）。形容詞はa（bela美しい）、副詞は-e（bele美しく）、動詞不定詞は-iに終わり、時制は-as, -is, -osなどの語尾で区別される。不規則動詞はない。ami愛する（不定法）、amas愛する（現在）、amis（過去）愛した、amos（未来）愛するだろう。語彙の75%はラテン系（上記amo, floro, ami, bela）、20%はゲルマン系（tago日、monato月、jaro年）。川崎直一（1902-1991）が大阪外国語大学で1949-1979年の30年間、エスペラント講座を担当した。『基礎エスペラント』大学書林、第19版, 1996. Johann Schröder, Lehrbuch des Esperanto. 178pp（Wien-Leipzig, ca.1906）. 著者は1869-1928.

Estonian（エストニア語）。エストニア共和国（首都タリンTallinn）に140万人に用いられる。エストニアは原語で「水辺の住民」、Tallinnは「デンマークの城」＜tan-linn. tan-「danskデンマー

クの」linnはフィンランド語linna「城」。クロイツワルト F.R.Kreutzwaldの著したエストニア民族叙事詩『カレヴィポエグ Kalevipoeg』1857-1861は20章, 19,078行の英雄詩で、フィンランドの『カレワラ』に匹敵する。Finnische und estnische Märchen von August von Löwis of Menar（Die Märchen der Weltliteratur；Düsseldorf, 1962）p. 282-298に要約がある。Kalevi-poegはKalevの息子の意味で、KalevはKalevalaの前半と同じ、poegはフィンランド語poika「少年」にあたる。

Eteocretan（真クレタ語；eteós 'true, genuine'）。Odysseyに出るクレタ島の前ギリシア語を指す。ギリシア語でも印欧語でもない。ミノア宮殿に残る多数の碑文は解読されていない。

Eteocyprian（真キュプロス語；eteós 'true, genuine'）。1910年に発見の12個の碑文の言語は音節文字で書かれギリシア語で解読。

Etruscan（エトルリア語）。古代イタリアのエトルリア地方に紀元前1000 ～ 300年ごろの言語。未解読のため印欧語族に属するか否かも不明である。ブルガリアの言語学者Vladimir Georgíev ゲオルギーエフ（1908-1986）は後期ヒッタイト語と考える。ラテン語の個人名・氏族名・あだ名（praenomen, nomen, cognomen）の3項命名（Gaius Julius Caesar）はエトルリアの習慣に由来するとされる（W.Schulze）。p.55の「エトルリアの鏡」はGiuliano and Larissa Bonfante, The Etruscan Language. Manchester University Press（1983）Bonfante先生から1983年に贈られた本より。Larissa（1931-2019）は先生の娘でNew York City大学ラテン語教授。

etymology（語源）。etymo-のyから察せられるように、ギリシア語発で、etymosは「真の、true」、単語の真の意味である。ギリシアの言語研究は語源と文法だった。etymologyもgrammarもギリシア語で、2500年もの間、ヨーロッパの学問の基礎をなしてきた。ラテン語dominus（主人）は家（domus）の主人で、dominant, domineerのもとだし、A.D.（Anno Domini, in the year of our

Lord）となって、今後、何千年も残るだろう。domus（家）は語根 *dem-（建てる）から来ていて、ロシア語 dom は「家」である。doma は「家の」だが、on dóma「彼は家にいる, he is at home」のように、副詞的にも用いられる。1947年、ソ連に抑留された日本兵はダモイ（domój 祖国へ）と叫んだものだ。ラテン語 dominus はポーランドの作家シェンキェーヴィチの Quo vadis Domine?（主よ、あなたはどこへ行くのですか；1890）に残っている。

　「家」は和語だが、「家族」は漢語である。house はゲルマン語共通で、ドイツ語 Haus, オランダ語 huis（発音はハイスとホイスの中間）は Huis ten Bos（ハウス・テン・ボス；house to the forest 森への家）となって長崎の観光地になっている。

Etruria の鏡（ヴォルテラ Volterra 出土）に eca：sren：tva：ichnac：hercle：unial：clan：thra：sce と刻んである。この絵はユーノーの息子ヘラクレスが乳を吸っている様子を示す。

F（発音）。ラテン語のf, ギリシア語のφは印欧語のbhからきたもので、ラテン語ferō, ギリシア語phérō, ゴート語bera "I carry" など現代に無事につながっている。英語five, ドイツ語fünfなどのfはギリシア語pénte（cf.Pentagon）にあたる。ラテン語のfはスペイン語でhになり、filius, filiaはhijoイホ「息子」、hijaイハ「娘」となった。

Feist, Sigmund（ジクムント・ファイスト, 1865-1943）。ユダヤ系のゲルマン語学者。最重要はVergleichendes Wörterbuch der gotischen Sprache（1909, 1939³）で、ゲルマン語、印欧語研究にどれほど役立ったか、はかり知れない。1939年デンマークに移住。Ruth Römer（Bonn；1965年、ゴート語を習った）にSigmund Feist—Deutscher, Germanist, Jude（in Muttersprache, 1981）がある。ユダヤ人だったので大学教授職を得られなかったらしい。

Fick, August（アウグスト・フィック, 1833-1916）。ドイツの言語学者。GöttingenのTheodor Benfeyのもとで学び、1858-1876年、そこのGymnasiumで、1776-1888年、大学で教えた。1888年、Breslau大学教授。1891年、病気のため引退。1868年、最初の印欧語辞典を出版したが、これは、のち、Walde-Pokornyが用いられるようになった。

　Fickは印欧語の人名・地名の研究にも専念し、Die griechischen Personennamen nach ihrer Bildung erklärt…（1874）個人名は複合語で、この習慣はケルト人、ゲルマン人、バルト人、スラヴ人、ギリシア人、インド・イラン人にも受け継がれている。地名研究はAltgriechische Ortsnamen（Bezzenbergers Beiträge,1896-1899）, Vorgriechische Ortsnamen als Quelle für die Vorgeschichte Griechenlands（1905）, Hattiden und Danubier in Griechenland（1909）があり、今日でも不可欠のものになっている。Fickのもう一つの業績はホメロスとヘシオドスの詩の研究で、ホメロスの作品は最初アイオリス方言（Aeolic）で書かれたが、イオニア方言（Ionic）も混同し

ており、Fickは、その部分をアイオリス方言にretranslateして、全体を統一した。Fickの説はDie homerische Odyssee in der ursprünglichen Sprachform wiederhergestellt（1883）に示されている。

Finck, Franz Nikolaus（フランツ・ニコラウス・フィンク, 1867-1910）。ドイツの言語学者。1896年Marburg大学で印欧言語学の講師、1908年Berlin大学一般言語学員外（extraordinary）教授。Oceanic languagesも教えた。主著：Über das Verhältnis des baltischslavischen Nominalakcents zum Urindogermanischen（1895）, 以下書名は日本語で『グリーンランド語の主語の基本的な意味』1905,『アルメニア文学の歴史』1907,『アルメニアのジプシーの言語』1907,『サモア語の人称代名詞・所有代名詞』1907,『バントゥー諸語の親族関係』1908,『言語学の課題と分類』1905,『サモア語の人称・所有代名詞』1907,『他動詞のいわゆる受動態的な性格』1907,『言語構造の主要な型』1910. 筆者の手元にF.N.Finck『現代東アルメニア語文語教本』Marburg 1902. 141頁。1980年、Otto Harrasowitz, Wiebadenで購入した（DM 28）。テキスト・語彙つき。よくできているが、テキストはAdolf Dirrの『東アルメニア語入門』Wien-Leipzig1910のほうがずっとよい。

Finnish（フィンランド語）。北欧フィンランドの言語。475万人に話される。フィンランド共和国の第1言語として、ロシアのカレリア自治共和国（首都ペトロザヴォーツクPetrozavodsk）でロシア語に次いで第2公用語として用いられる。文法特徴は

1. 子音交替（consonant gradation, Stufenwechsel）
   Helsinkiヘルシンキ→Helsinginヘルシンキの

2. 格が15もある。主格、属格、与格…、内格（inessive, Helsingissä 'in Helsinki', Tokiossa 'in Tokyo'）、分格（partitive）が広く用いられる。kolme lastaコルメ・ラスタ3人の子供（lastaはlapsiの単数分格）。1966.4.19.（水）朝7時ヘルシンキからレニングラード行きの車中、朝、お茶を運んでくれたカレリアKarelia（Kaleva-

la採取地方）出身の男性が私は3人子供がいると言った。

3. 否定動詞。I am, you are, he is は olen, olet, on だが、I am not, you are not, he is not は en ole, et ole, ei ole と否定辞が人称変化し、動詞は語幹を用いる。

　フィンランド民族叙事詩カレワラ（Kalevala）がある。エリアス・レンロート Elias Lönnrot（1802-1884）が医者をしながら、カレリア地方から採取し、1835年、1849年、増補版50章を出版した。フィンランド建国からキリスト教の伝来までの歴史を語る。カレワラはアイヌのユーカラ、北欧のエッダ、ギリシアのホメロスと並んで、世界の5大叙事詩（epic）と呼ばれる。日本語訳に森本覚丹訳、岩波文庫3巻、1939, 講談社学術文庫2巻、1992, 小泉保訳, 岩波文庫2巻, 1976がある。

　カレワラ第4章「アイノの死」を紹介する。フィンランドの建国の英雄ワイナモイネン（Väinämöinen）は生まれながらに白髪の老人だった。母は海の中を漂いながら、おなかに子供を800年も宿らせていたからである。ワイナモイネンはカンテレ（ハープ）の名手だった。彼の奏でるハープの音に、森の木々も、湖の魚も涙を流した。その涙が湖の底に落ちると、真珠になった。ワイナモイネンは美しい乙女アイノ Aino に求婚した。アイノの母は娘が国で一番の英雄の花嫁になることを喜んだが、アイノは年寄りに連れ添って、その玩具になるよりは、海底に沈んで魚の仲間になったほうがよい、と言って、身を投げて死んでしまった。母は娘の死を知ると、嘆いて言った。「世の母よ、いやだという結婚を娘に強いるな」。彼女はいつまでも泣き続け、その涙は川となり、湖となった（カレワラ、第4章）。フィンランドは1000の湖の国と呼ばれ、風光明媚の国として知られる。フィンランドは森林が豊富で、プータロ puutalo「木の家」（puu木、talo家）が日本でも流行した。

Flateyjarbók（フラテイの書）。アイスランド初期の写本で、225

枚のフォリオ版からなる。写本保存地 Flatey（平らな島の意味）
は北アイスランド Víðidalstunga（広い谷の岬）の近くというが、
The Times Atlas of the World を見ると、Breiða-fjörður の Flatey から
105 km も離れている。この書に収められているのは13写本で、
「エリクのサガ」「フェロー諸島住民のサガ」「グリーンランド人
のサガ」「ハルフレッドのサガ」「ハーコンの息子ハーコンのサ
ガ」「ヨムスヴィーキングのサガ」「マグヌス王とハーコンの息子
ハーコンのサガ」「聖オラフのサガ」「トリュグヴィの息子オラフ
のサガ」「オークニー諸島の住民のサガ」などである。フラテイ
の書は1387年から1390年の間に、Jón Hákonarson のために裕福
な農夫によって作成された。Leifr のアメリカ発見のサガも含ま
れる。早稲田大学教授・森田貞雄先生（1928-2011）がこの写本
の刊本をコペンハーゲンから購入して自宅の耐火金庫にはいり、
没後、早稲田大学図書館に収蔵された。森田先生は『デンマーク
語文法入門』1959 と『アイスランド語文法』1981 の著者（とも
に大学書林刊）。1953-1954年、デンマーク政府の留学生としてコ
ペンハーゲン言語学科に学び、講師 Dr. Bjarni Einarsson から1対1
で現代アイスランド語を学んだ。アイスランド語は、ヨーロッパ
の文物が伝来するのがおそく、古形を保っている。

Foulet, Lucien（リュシアン・フーレ, 1873-1958）。フランスの言
語学者。Paris の École Normale で学んだあと、1909 から 1912 年ま
で California の Berkeley 校で教えた。1912年パリに帰り、Petite
syntaxe de l'ancien français（1919）を書いた。これは成功作となっ
た。

French（フランス語）。フランス全土で8000万、ベルギーのフラ
ンス語域で230万人、スイスのフランス語域で80万人に話される。
Corsica, Bretagne, Roussillon, Alsace, Flandres ではフランス語は理
解される。南フランスではプロヴァンス語（Provençal）が1000
万人に話される。海外では、カナダの Quebec 州と Ontario 州で

300万人に話される。Haitiの300万人、フランスの植民地に8000万人、総計、1億人に話され、あるいは理解される。

　フランス語はロマンス諸語（Romance languages）の一つであるが、その名の示すとおり、ドイツ語の影響を受けている。Frenchはfrankisk, 語源的には、フランク族の言語である。

　フランス語の特徴：（1）ラテン語のcaがchとなる。ラテン語caballus（馬）がcheval［シュヴァル］。イタリア語はcavalloカヴァッロ，スペイン語はcaballoカバーリョ。（2）ラテン語のūが［y］となる。ラテン語mūrusがmur［ミュール］。（3）ラテン語の語末の-aが-eとなって、発音から消える。lūna「月」がlune［リュヌ］。（4）ラテン語festa（祭り）のような場合、-s-が消える。fête（イタリア語festa, スペイン語fiestaでは残っている）。（5）ラテン語cantat（彼は歌う）のような-n-は鼻母音になる。chante［ã シャント］。cantatio（歌）がchansonとなる。

　ドイツ語の影響。honte, haïr, choisir, laid, hâte, garder, saisir, gage, canife, bois, fauteuil, bleu, joli. 1066年のNorman Conquest以後、フランス語から大量の単語が英語に流入した。Chaucerの作品（14世紀）にはフランス語が多い。point, saint, chamber, quitは発音も英語流になった。

G（発音）。ラテン語のgは有声閉鎖音（voiced stop）で、英語のgetやgiveと同じだった。イタリアでは西暦2世紀から3世紀にかけて前母音iやeの前で口蓋化（palatalize）し始めgelato（ジェラート、アイスクリーム）のようになった。getのg［g］のようにゲルマン系の単語では、もとのままだが、フランス語からきたgentleやgeneralでは［dž］になった。スペイン語ではdžが［x］となり、GeorgesジョルジュがJorge［ホルヘ］となった。ghはrough, toughでは［f］だが、night, right, sight, taughtでは無音（サイレント）になった（中世英語はnight［niçtニヒト］）。ロシア語にはhの音がないので、HeineはGeine, HamiltonはGamiltonと表

記する。

Gabelentz, Hans Conon von der（ハンス・コノン・フォン・デ
ア・ガーベレンツ, 1807-1874）。ドイツの歴史家、言語学者。
Leipzigと Göttingenで法律を学ぶ。Altenburg公国で国会の議長で
あった。政治活動のかたわらモンゴル語、マライ・ポリネシア語、
ムンダー語を研究。マライ・ポリネシア比較言語学の基礎を築い
た。主著：Éléments de la grammaire mandschoue（1832）, Grammatik
der Dajaksprache（マライ・ポリネシア語；1832）, Grundzüge der
syrijänischen Grammatik（ウラル語, 1841）, Grammatik der Dako-
ta-sprache（American Indian, 1852）, 満州語動詞活用（ZDMG）, Die
melanesischen Sprachen（1860-1873）, Grammatik und Wörterbuch der
Kassiasprache（アメリカ・インディアン語,1858）, Über die Sprache
der Suaheli（ZDMG）, Über die samojedischen Sprachen（ZDMG）；
モンゴル諸語の辞典；Wulfilaの聖書（J.Loebeと共著, 1836-
1843）；ゴート語文法（1846）, ゴート語辞書（1843）, 受動態
（1861）. ZDMGは「ドイツ東洋学会誌」。

Gabelentz, Hans Georg Conon von der（ハンス・ゲーオルク・コ
ノン・フォン・デア・ガーベレンツ, 1840-1893）。ドイツの言語
学者、上記 Gabelentzの息子。父親と同じく Leipzigで法律を学ん
だが、言語学に転向し、16歳のとき、父親のもとで中国語を学
びシナ学で第一人者になった。Chinesische Grammatik（1881）.
Die Sprachwissenschaft, ihre Aufgaben, Methoden und bisherigen
Ergebnisse. Leipzig, 1891, 第2版1902（34頁にわたる詳しい索引を
入れて520頁）。川島淳夫訳『言語学』同学社. 2009, xxii, 502頁,
7000円）。本書は4書よりなり、Erstes Buch総論；Zweites Buch個
別言語の研究（個別言語の記述＝文法、辞書、古語と方言、言語
と文字）；Drittes Buch一般言語学、文の種類、形態法、形態論的
分類、孤立語、語順、アクセント。膠着（Agglutination）の下位
分類（prä-, sub-, infixe）、孤立語（純粋に孤立語といわれる中国

語のほかにシャム語、安南語も、すでに、その中にHülfswörter
を含む）。

Gallic or **Gaulish**（ガリア語）。古代ガリアの言語。Caesar による
と Galli は Celtae を指す。Gaulish（フランス語 Gaulois, イタリア語
Gallico）は大陸ケルト語を指す。Breton 語は入らない。ブルトン
人がイングランドから追われてブルターニュ（フランス北部）に
定住し始めたのは6世紀だった。小アジアの Galatia もガリア語地
域で、5世紀A.D. までガリア語が話されていた。ラテン語の -ct
の c が消えて -it になる（noctem「夜」がフランス語で nuit）のは
ガリア語の substratum（基層）による。スペイン語では ct は ch と
なり（noctem ＞ noche ノチェ「夜」）、イタリア語では tt となる
（noctem ＞ notte「夜」）。Ver-cingeto-rix（ver 'great', cingeto 'warrior',
rix "king"）；地名 Verdun ＜ Viro-dūnum 'fortress of the heroes'）。こ
の dūnum は英語 town である。戦車に関する単語がケルト語から
ラテン語に入った。この分野ではガリア人の技術が優れていたか
らである：carrus「車」、carpentum「二輪馬車」、rēda「四輪馬車」
（cf.ride, reiten）、essedum「戦車、旅行用馬車」、petorritum, petōri-
tum「無蓋の四輪馬車」

Gamillscheg, Ernst（エルンスト・ガミルシェーク, 1887-1971）。
ドイツの言語学者。Wien の Meyer-Lübke のもとに学び、Inns-
bruck（1920-1926）, Berlin（1926-1945）, Tübingen（1947-）で、ロ
マ ン ス 言 語 学 を 教 え た 。 主 著 Etymologisches Wörterbuch der
französischen Sprache（1928）. ロマンス言語学のすべての分野に及
び、Studien zur Vorgeschichte einer romanischen Tempuslehre（1913）,
地名 Die Bezeichnungen der Klette im Galloromanischen（1915, with
L.Spitzer）, 方言 Oltenische Mundarten（1919）, 言 語 地 理 学 Die
Sprachgeographie und ihre Ergebnisse für die allgemeine Sprachwissen-
schaft, 1928）, 言語地図 Randbemerkungen zum rumänischen Sprachat-
las（1941）, ゲ ル マ ン 語 要 素 Romania germanica（3 vols.1934-

1937：Sprachkontakt), Germanische Siedlung in Belgien und Nordfrankreich（1937）.

Gauchat, Louis（ルイ・ゴーシャ, 1866-1942）。スイスの言語学者。G.I.Ascoliが始めたFranco-Provençal方言の研究を続けた。Glossaire des patois de la Suisse romande（1924開始）. 1942年Festschrift Louis Gauchatが贈られた。

Geiger, Ludwig Wilhelm（ルートヴィヒ・ヴィルヘルム・ガイガー：1856-1943）。ドイツの東洋語学者。Friedrich Schlegelのもとに学び、サンスクリット語とイラン語を専攻した。Erlangen大学で印欧言語学を教えた。E.Kuhn, K.F.Geldner, BartholomaeとともにGrundriss der iranischen Philologie（1896-1904）を編集。1920-1924ミュンヘン大学インド語、イラン語教授。Elementarbuch der Sanskritsprache（1888）, Etymologie und Lautlehre des Afghanischen（1894）, Literatur und Sprache der Singhalesen（1900）, Die archaeologischen und literarischen Funde im chinesischen Turkestan（1912）, Pali, Literatur und Sprache（1916）, Ceylon旅行記（1897）.

Gelb, Ignace Jay（イグナス・ジェイ・ゲルプ, 1907-1985）。Giorgioポーランド生まれ、アメリカのアッシリア学者、ヒッタイト学者。Firenze, Romaの大学でProf. Giorgio della Vidaのもとで研究。1947年Chicago大学アッシリア学教授。最大の業績は象形文字ヒッタイト語（hieroglyphic Hittite）の解読で、音節文字で開音節（a,e,u,i,pa,pe,pu,pi）と考え、Ku-r（a）-ku-maをGurgumと解読した。こうしてアナトリアの王子名Warpalawas, Muwatelis, Halparuntas, 神の名Kupapas, Hepat, Balatを解読した。主要著作はInscriptions from Alishar and Vicinity（1935）, Hurrians and Subarians（1944）, Nuzi Personal Names（1943）.

Geldner, Karl Friedrich（カール・フリードリッヒ・ゲルトナー, 1852-1929）。ドイツのインド学者、イラン学者。最初Berlin大学で、のちにMarburg大学でインド学を教えた。Siebenzig Lieder des Rigveda 翻訳（with Adolf Kaegi, mit Beiträgen von R.Roth）, Vedische Studien（1889-, with Pischel）, Der Rigveda in Auswahl（1907-1909）, Die indische Balladendichtung（FS Marburg 1913）, Der Rigveda, übersetzt und erläutert（1923）, Vedismus und Brahmanismus（in Bertholet, 宗教史読本1928）. アヴェスタ語はÜber die Metrik des jüngeren Avesta. Die zoroastrische Religion（1926）.

gender（文法性）。印欧語、セム語は文法性があるが、ウラル語、アルタイ語はない。太陽のラテン語solは男性、ギリシア語hēlios男性、フランス語soleil男性、ドイツ語Sonne女性、ロシア語solnce（ソンツェ）は中性（-ceは指示辞、愛称辞）。古代英語sunne女性。「月」はラテン語lūna女性、ギリシア語selēnē女性、ドイツ語Mond男性、フランス語lune女性、古代英語mōna男性。自然性と文法性が異なる場合がある。ドイツ語Mädchen（少女）は中性、Weib（女）も中性。現代ギリシア語は指小辞が多く、paidí子供、korítsa, koritsáki少女は、中性名詞である。

Georgian（グルジア語；ロシア語gruzinskij jazyk）。グルジア共和国（首都Tbilisi）の言語。南コーカサス諸語の主要言語。言語人口350万。特徴はṗ ṭ ḳの音（glottoclusivae声門閉鎖音）と能格（ergative）である。能格は他動詞の主語に用いられ、他動詞の目的語は主格に置かれる。studenṭma dacera cerili ストゥデントマ・ダツェラ・ツェリリ；cの下に黒点あり）学生は手紙を書いた。studenṭ-maが能格, 主格はstudenṭi. 西暦5世紀にキリスト教化され、同時に聖書の翻訳が始まり、以後、1500年、文学活動が続く。コーカサス地方の中では、文明が特出している。グルジアの歴史の黄金時代と呼ばれるタマラ女王（Tamara）の時代（1200年ごろ）にショタ・ルスタベリ（Shota Rustaveli）の国民的叙事詩『豹皮の騎士』Vepxis tqaosaniがある。袋一平訳1972, 大谷深訳1990）。グルジアはワインの産地。グルジア紹介書：加固寛子著、児島康宏監修『知られざる魅惑の国グルジア』クリエイティブ

21（新宿）2021年, 80頁。著者は1929年生、京都大学文学部卒。

Gilliéron, Jules（ジュール・ジリエロン, 1854-1926）。スイスの言語学者。BaselとParisで研究。G.I.Ascoliから刺激を受けてAtlas linguistique de la France（1902-1909）を完成。イタリアの新言語学（neolinguistica）はジリエロンの言語地図に負うている。他の国もジリエロンの地図が模範になった。

Gilyak（ギリヤーク語）。カラフト（サハリン）島の北部とアムール川の下流の地域に住むギリヤーク人の言語。その人口3700人の76.3%がギリヤーク語を話すという。ギリヤークの自称は、大陸ではニヴフnivx, カラフトではニクブンnikbyŋだが、ともに「人間」の意味。ロシアの資料では話者4600人、うち2000人がサハリンに、2400人がAmur河畔に住む。

　ギリヤーク民話「クマと姉妹」むかし、一軒の家に姉と妹の二人が仲よく暮らしていました。二人は魚やあざらしをとって食べていました。ある日、二人は冬の食べ物にコケモモ（cowberries）を採りに出かけました。家に帰ると、ガサガサ音が聞こえます。家に入ると、お膳の上のお皿においしそうな料理が載っています。姉は、おいしそう、と言いながら食べてしまいました。妹は、気味がわるいので、食べませんでした。次の朝、妹が目をさますと、姉はいませんでした。妹は姉を探して、川に来ると、舟がありましたので、それに乗って、対岸に来ると、クマの足跡と姉の足跡が雪の上に残っていました。坂道を上ると、小屋が建っています。小屋の中に急いで入ってみると、クマの姿は見えず、姉の頭がころがっていました。姉さん、どうしたの、と尋ねると、「心配かけて、ごめんなさいね」と涙をポロポロ流しながら、答えました。そのとき、クマが現れて、妹に襲いかかりましたが、妹は姉の頭を抱えながら、必死に逃げました。そして、自分の小屋に帰ることができました。（世界民話全集8, 1954, 河出書房、北方アジア編、徳永康元、服部健ほか訳。チュクチ、ギリ

ヤークは服部健訳）

Gothic（ゴート語）。ゴート人（Goths）の言語。ゴート語は西暦
4世紀の言語で、ゲルマン語の中では最も古い。ウルフィラ
（Wulfila, Ulfilas, 311-382）僧正がギリシア語からゴート語に訳し
た新約聖書が貴重な資料である。Die gotische Bibel. ed.
W.Streitberg, Heidelberg 1965, 第5版，と辞書Gotisch-griechisch-
deutsches Wörterbuch. これはゲルマン諸語のうち最も古い語形を
伝えており、印欧語比較文法においてはゲルマン語の代表として
利用される。dag-s（'day'単数主格）、dag-ans（複数対格）の語尾
は印欧祖語*-os, *-onsに当たる。この-onsが貴重である。ギリシ
ア語クレタ方言nóm-ons（法、複数対格）がゴート語dag-ansの
-ansに対応するからである。ほかにスキーリーンス（Skeireins
「解釈」）と呼ばれる聖書の注釈がある。この語源はゴート語
skeirs「明らかな」でドイツ語scheinenと同じ語源である。ウル
フィラは西ゴート人（アリアン派の人でダキアの僧正；ダキア
Daciaは Danube下流地域）だったので、聖書は西ゴート語だった
が、保存されている写本の多くはイタリアで作られたので、東
ゴート語的である。

　ゴート人は東ゲルマン人だが、スウェーデンの南の島ゴットラ
ンド（Gotland）が示すように、この付近が発祥地だった。ゴー
ト人は南へ下り、ポーランドのウィスツラ川（Visła ヴィスワ）
を渡って、214年、ドニエストル（Dnjestr）川の両岸に大帝国を
築いた。その後、東ゴート人（Austro-Goti）と西ゴート人（Vi-
si-Goti）に分かれた。ゴート王国の繁栄は375年のフン族の来襲
（Hunnensturm）のために破壊され、西ゴート人はAlarich（アラ
リク；'king of all'）のもとにイタリアから南フランスに渡り415
年にトロサ王国（Tolosa, Toulouse）を築いた。466年にはスペイ
ンの大部分を占めたが、507年ヴイエの戦い（Schlacht bei
Vouillé）でフランク人（ゲルマン人）に敗れ、711年にはアラビ

ア人のために消滅した。東ゴート人はTheodorich（デートリッヒ；民族の王の意味）のもとにイタリアのパンノニア領土（pannonische Sitze）を獲得したが、555年、東ローマの軍隊に滅ぼされ、ゴート人は消滅した。ゴート人の一部はバルカン地域にとどまり、ドブルジャ（Dobrudscha）の教区Tomiでは9世紀にゴート語で布教が行われた。この項、筆者が若いときからお世話になったゴート語の入門書Heinrich Hempel, Gotisches Elementarbuchによる（Sammlung Göschen, Berlin, 1966⁴, p.10）。Hempel（1885-1973）はケルン大学教授。このゴート語入門書は弘前大学でも学習院大学でも、教科書として使った。

gradation（段階）。George runs fast, runs faster, fastestは比較の三つの段階を示す。ラテン語fortis 'strong', fortior, fortissimusが、俗ラテン語ではmagis fortis, plus fortisのように分析的になり、イタリア語più forte、スペイン語más fuerteのようになった。英語やドイツ語では語尾で示されstronger, strongest, stärker, stärkstとなる。ラテン語fortissimusは、のちに、very strongの意味になった。

　比較は名詞にも起こる。サンスクリット語（ヴェーダ語）bráhmīyas 'better Brahman', bráhmiṣṭas 'the best Brahman' のように。イタリア語generalissimo（最高指揮官）は第一次世界大戦に作られた単語である。比較級語尾と最上級語尾に二つあり、*-yos -と*-tero-だが、*-tero-は質の比較を表すのではなく、2個の対立を意味した。その名残はother, neither, whether, ラテン語alter, uter, dexter, sinister, ギリシア語deksiterós 'right', 右手にも見られる, aristerós 'bad', 左手。*-yosはすべての印欧語に見られるが、*-tero-はギリシア語、インド語、イラン語に限られる。

　母音交替（vowel gradation, Ablaut, apophony）は英語sing, sang, sung, song（名詞）のように母音を変えて文法変化を行うことを指す。

サンスクリット語の場合を揚げる。

基本音（Grundvokal）	語根nī-導く	kṛ-作る
重音（Guṇa, 原義：糸）	netar-案内者	kara作者
複重音（Vṛddhi, 成長）	nay-ati彼は導く	kārya行わるべき

　ドイツ語の例：Ge-burt誕生（サ bhṛ-ti）、gebären（生む、サ bhar-aṇa妊娠）、Bahre担架（サ bhāra-重荷）。

　同様に語根vid（知る）から veda（知識）、vaidya（ヴェーダの）を得る。この語根vidは英語wit, wot, wiseと同根でShakespeareのI wot well where he is. 乳母が言う。私はロミオがどこにいるか、よく知っている。

　emi 'I go', imaḥ 'we go'；veda 'I know', vidma 'we know'

　上記のサンスクリット語根vidの印欧語根は*weid-（紀元前4千年紀）で、ここから Old English の witan 'to know', 英語wise, wisdom, wit機知, to witすなわち, ラ video, エ view, ギ hístōr 'wise, learned man'（history の語源）＜*widtor-）. エ druidケルトの予言者　＜*dru-wid 'knower of trees'（C.Watkins, Indo-European Roots, Boston, 1985）

　英語better, bestは印欧祖語*bhadrós 'tüchtig, gut'（Jan de Vries, Altnordisches etymologisches Wörterbuch, p.34）

grammar（文法）はギリシア語gramma＜graph-ma（書き方、正しい書き方）からきている。ギリシアの言語研究は語源（etymology）と文法だった。だから、その用語もギリシア語である。Ciceroはこれをラテン語veri-loquium（正しく書くこと）と訳したが、これは定着しなかった。grammaticalisation en roman et en germanique. ロマンス語はラテン語になかった文法habeo＋過去分詞j'ai écritを作り、ゲルマン諸語はフランス語をまねて、ゴート語になかったI have writtenの形式を作った（adstratum）。英語doの過去didはdo＋edからきている。ゴート語nasida（救った）はnasjan（救う）＋daから、work-edはwork＋didから。現代ギリシ

ア語のthaはthélō na 'I wish that I do' からきている。he'll come, I'm comingは未来がenclitiqueに表現される。ロマンス語は動詞に後置（il viend-ra）するが、現代ギリシア語は、上の例に見るように前置する（Marouzeau）。

degrammaticalizationはmore sad, most sad（early Middle English, 1892, H.Sweet, A Short Historical English Grammar, 1892, p.91）とか、the person I met yesterday's fatherのような場合をいう。

日本語の品詞は体言（名詞、代名詞、数詞）と用言（動詞、形容詞、形容動詞）に分ける。形容動詞は「静かだ」「静かだった」のように活用する。

Grammont, Maurice（モーリス・グラモン, 1866-1946）。フランスの言語学者。Collège de Franceで印欧言語学を学び、École des Hautes Étudesで Michel Bréal, Gaston Paris, Saussureのもとで学んだ。博士論文Dissimilation consonantique dans les langues indo-européennes et les langues romanes（1895）はSaussureとPrague Schoolの音韻論（phonologie, のち音素論phonemics）となる構想を発表し、のちにTraité de phonétique（1933）に発展した。ほかにVers français（1904）, Traité pratique de prononciation française と Petit traié de versification française があり、雑誌Revue des langues romanesを長い間編集した。

Grandgent, Charles Hall（グランジェント, 1862-1939）。アメリカの言語学者、文献学者。1896年以後ロマンス語、ロマンス文学、特にイタリア語をHarvard大学で教えた。HarvardにはDante研究の伝統がある。Cambridge Dante Societyの会長だった（Longfellowや Charles Eliot Nortonのあと）。主著Introduction to Vulgar Latin（1907）はイタリア語とスペイン語訳あり。Italian Grammar（1887）, Outline of the Phonology and Morphology of Old Provençal（1905）, From Latin to Italian, an Historical Outline of the Italian Language（1927）。

Grassmann, Hermann Günther（ヘルマン・ギュンター・グラースマン, 1809-1877）。ドイツの数学者、サンスクリット学者。1827-1830年 Berlin で Rudolph Roth のもとでインド語、特に Rig-Veda を研究。Rigveda übersetzt und mit kritischen und erläuternden Anmerkungen versehen（1876, 1878）および Wörterbuch zum Rigveda（1873）. グラースマンの法則（Grassmann's law）：thríks（hair）の属格は trikhós となり最初の気音（aspirate）が無気音化（de-aspirate）する。2個の帯気音の最初の帯気音が無気になる。ギリシア語 pêkhus 'elbow', pentherós 'father-in-law' とサンスクリット語 bāhús 'elbow', bándhus 'relative' の b を比較すると、最初の気音が dissimilation により気音（aspiration）を失っていることが分かる。大学教授ではなく、故郷の Stettin の gymnasium 教授だった。

Graur, Alexandru（アレクサンドル・グラウル, 1900-1988）。ルーマニアの言語学者。Paris の École des Hautes Études で学ぶ。Les consonnes géminées en latin（1929）および Noms d'agent et adjectif en roumain（1929）で文学博士。祖国に帰り Bucharest 大学ラテン語・ラテン文学教授。Ab, ad, apud cum en latin de Gaule（BSL 94）, Les substantifs neutres en roumain（Romania 54）, Les mots tsiganes en roumain（Bulletin linguistique II）, Mélanges linguistiques（I, Paris and Bucharest 1936; II, Copenhagen 1941）. Esquisse d'une phonologie du roumain（with A.Rossetti, Bulletin linguistique VI）. La romanité du roumain. Bucharest 1965.

Greek（ギリシア語）。ラテン語と並んで、ヨーロッパ文明を築いた言語。紀元前1000年以前からギリシア半島、地中海地域に話されている。マケドニア、トラーキア、ヨーロッパ領トルコ、エジプトにギリシア語の植民地がある。イタリアの Calabria と Salento に 36000 人にギリシア語が話される。1940年、ギリシア人口748万人の90%はギリシア語を話す。近代ギリシア語は民衆語と純正語の二種があり、これはあとで述べる。

古代ギリシア語はヨーロッパ地域の印欧語であるが、民族以前（pre-ethnic）の改新（innovation）を示している。ギリシア語はignis, rex, flamenの語、3人称複数facereをもたない。一方、象形文字ヒッタイト語、ルーウィ語、リュディア語、リュキア語、ゲルマン語、バルト語、スラヴ語と同様に多くの改新（innovations）をもっている。アルメニア語と近い関係にあり、ギリシア語とアルメニア語は、共通に、次の七つの特徴を示している。

Greekとenglish Armenianの共通点：

1．r-, l-, m-, n-の前に母音がくる（vocalic prosthesis）のに対して、ラテン語や英語にはない。ギennéa, ア inn（ラ novem, エ nine）。ギérebos 'darkness', ア erek（ゴ riqis）。

2．母音間のsがhになり消失。ギnuós 'daughter-in-law', ア nu, nuoy（ラ nurus, ヴェーダ語 snuṣā, ド Schnur）

3．母音間のyが消える。ギtreîs, ア erekh（ヴェーダ語 tráyas）

4．母音 i̯, r̥, m̥, n̥がal, ar, am, anに。ギárktos, ア arj（ラ ursus, ヴェーダ語 r̥kṣas）

5．srがstrongly rolled rに。ギrhutós 'dragged along', ア a-r̊u（古代アイルランド語 sruth, ヴェーダ語 srutís, ロシア語 ó-strov）

6．*ly, *ry, *my, *nyが*yl, *yr, *ym, *ynに。ギbaínō, ア ayn（ヴェーダ語 anyás）

7．語末のdとtが消える。

　形態論と統辞論：属格 *-osyo（ホメロス -oio, ア -oy）；augment（ギ éphere, ア eber）。否定語（ギ mē, ア mi）

　ギリシア語 -ssos, -nthosは前ギリシア語（pre-Greek）である。kupárissos, nárkissos, asáminthos, hyákinthos. その他 sûkon, oînos, rhódon.

近代ギリシア語（Modern Greek）は言語人口1100万。民衆語（ディモティキ dimotiki）と純正語（カサレヴサ katharevusa）の二形態があり、後者は行政機関と教会に用いられる。近代ギリシア

語の最大の文献は新約聖書であり、ビザンチン文学を代表する国民的叙事詩『ディゲーニス・アクリータス』（Digenis Akritas, 10世紀の成立とされる）がある。関本至『現代ギリシアの言語と文学』渓水社 1987. 名前はónomaだが、to ónoma mou eínai Giorgos（私の名はヨルゴスです）のように、姓でなく、名を指す。mou（私の）は後置され、eínai発音［イネ］はI am, you are, he is, to beの意味。

Grierson, Sir George Abraham（サー・ジョージ・エイブラハム・グリアソン, 1851-1941）。アイルランド系イギリスの言語学者。1873年、インド文部教官となり、1898-1902年 Linguistic Survey of India を行った。18巻からなる巨大な出版物で、インドのすべての言語の文法、テキスト見本、その翻訳、統計、広範囲な一般的情報を載せ、現代インド語の知識を網羅している。Grierson は近代インドのフォークロアと文学も研究。The Modern Vernacular Literature of Hindustan（1889）, The Languages of India（1903）, A Dictionary of the Kāshīmīrī Language（1932）, The Linguistic Survey of India and the Census of 1911（1911）を書いた。Halle（1894）, Dublin（1902）, Cambridge（1920）, Oxford（1929）の諸大学から名誉博士号（Doctor honoris causa）を授与された。

Grimm's Law（グリムの法則）。Jacob Grimm（1785-1863）

　ドイツではグリムの法則ではなく、Lautverschiebung（音韻推移）という。マックス・ミュラー Max Müller（オックスフォード大学比較言語学教授）がこう呼んだので、英米、フランス、スペイン、イタリア、日本でもこの名が用いられる。子音の推移が主なので、consonant shift（子音推移）という。
第一次音韻推移はゲルマン語すべてに起こる。

1. dh＞d（印欧語＊dhur-）＞英 door
   d＞t：ラ decem＞英 ten
   t＞th：ラ trēs＞英 three

bh ＞ b：サ bhrātar-＞英 brother

b ＞ p：ギ kánnabis ＞英 hemp

p ＞ f：ラ ped-（主格 pēs）＞英 foot

gh ＞ g：（印欧語 *ghostis 未知の人）ラ hostis 敵＞英 guest

g ＞ k：ラ genū ＞英 knee

k ＞ h：ラ centum ＞英 hund（-red は数の意味；ラ ratio）

gw ＞ qw：*gwemjō, ラ veniō ＞ゴート語 qiman, 英 come

2. この項目（第二次音韻推移）は Jacob Grimm の発見である。
英語 day がドイツ語 Tag になったのだが、day が Tag に対応する
（correspond, entsprechen）ので＝を用いる。

d ＝ t：英 drink ＝ド trinken

t ＝ s, ss, tz：英 eat, it, sit ＝ド essen, es, sitzen

th ＝ d：英 three, the ＝ド drei, der, die, das

v ＝ b：英 even, over ＝ド eben, über

p ＝ f, ff, pf：英 help, ship, apple ＝ helfen, Schiff, Apfel

k ＝ ch：英 book, make ＝ド Buch, machen

第二次音韻推移 Second Consonant Shift は高地ドイツ語 High
German にのみ生じた。

Gröber, Gustav（グスターフ・グレーバー, 1844-1911）。ドイツ
の言語学者で、ロマンス言語学を築いた一人。Leipzig と Zürich
で学んだあと 1874-1880 年 Breslau で、1880 年以後 Strassburg でロ
マンス言語学を教えた。中世フランス語とプロヴァンス語のテキ
ストを出版、1877 以後 Zeitschrift für romanische Philologie を編集。
すべてのロマンス語と方言に通じ、俗ラテン語と古典ラテン語の
相 違 を 探 究 し た。Vulgärlateinische Substrate romanischer Wörter
（Archiv für lateinische Lexikographie und Grammatik, vol.1-7, 1884-
1892）。ロマンス諸語の間の相違を植民の時期、Sardinia は
238BC, Spain は 200BC ごろ、北ガリアは 50BC ごろ、ラエティア
Rhaetia（スイス）は 10BC, Dacia は 108AD で説明した。これによ

ると、サルディニア語はスペイン語よりも古く、スペイン語はフランス語よりも古い。これはGröber's theoryと呼ばれる。叢書Bibliotheca Romanicaを創刊。Grundriss der romanischen Philologieを出版（1886：1985年BerlinのWalter de Gruyterからreprint）、これはロマンス語研究者にとって必須の書物となった。

Gujarātī（グジャラーティー語）。インドの言語で、ラジャスタン語（Rājasthānī）．に近く、近代インド・アーリア諸語の西方群に属する。高層階級と下層階級で発音が異なる。後者ではīがēと発音され、kがčと発音され、sがhと発音される。āがå（英all）と発音される（古代ノルド語HákonがHåkonとなったことと比較せよ）。格は主格と斜格（oblique）のみとなり、他の格は後置詞で表される。現在完了などは近代ヨーロッパ語と同様 'I am'（chū）＋過去分詞で表現される。グジャラーティー地域は15世紀以後、文学が豊富に見られる。

Gypsy（ジプシー語）。Romanyを見よ。

H（発音）。hはラテン語やギリシア語の韻律法では子音と考えず、無視される。軟口蓋摩擦音（χとg）に近く、ドイツ語habenやlachenの音である。間投詞ha! やho! に用いられる。ヨーロッパ諸語におけるhの歴史はfの歴史に似ている。印欧祖語はhを持っていなかったらしい。このことはバルト語や（一部の）スラヴ語に見られる。紀元前600年ごろ、ゲルマン語の子音推移が始まる前は、hはギリシア語にのみあった。しかしhは中世ギリシア語の時代に失われ、ロマンス語においても、フランス語hiver, horloge, Horaceのhは発音されない。スペイン語Horacioのhも無音である。ゲルマン語から入ったhache, harnais, haut, hêtreはle hache…と書く。このhはh aspiréと呼ばれ、ロマンス語起源でないことを示している。ベルギーのフランス語ではhが発音される。フランス語起源だが、英語human, habit, hospitalのhは発音され、フランス語起源のheir, honest, hourでは発音されない。hをもたな

いロシア語はHamburgをGamburgと書く。

　子音の前のhは不安定で、英語loud, ドイツ語lautは古くは hloud, hlautと書かれたが、hを失ってしまった。ラテン語のfは スペイン語でhになり、filius, filiaがhijo, hijaとなり、無音になっ た。ch, sh, thは英語ではchurch, ship, threeなど、新しい音を表記 するために用いられる。

HAND（手）。言語学と関係ないが、Collier' EncyclopediaのHの 項に紙編がはさまれていたので記す。

　Victor Scolesは25歳の誕生日を迎えたあと、「手」を初めて見 た。目の前の2フィートのところに空中に浮いていた。最初、目 の錯覚だと思っていた。目をこすった。痛くなるほど、こすった。 だが、消えなかった。近づくと、相手も、同じ距離を保ちながら、 後退して行った。

　日が経つにつれて、「手」は、ますますはっきり見えてきた。 朝から晩まで、外出して、通りのかどで待っていた。ある日、夜 中に、ライフル銃を手にとり、発砲したが、相手は死ななかった。 警察に捕らえられて、精神病院に運ばれた。その結果、頭の中に 大きな腫瘍（tumor）が発見された。その腫瘍はふしぎな、「手」 の形をしていた。

（Tales from the book "The Hand", 2014）

Hăşdeu, Bogdan Petriceiu（ボグダン・ペトリツェイウ・ハシュ デウ, 1838-1907）。ルーマニアの philologist. Kharkov 大学で学んだ あと、1853-1856年、クリミア戦争で士官として戦い、その後、 ルーマニアのヤシ Iaşi で図書館司書を務め、1874-1900年、ブカ レスト大学の comparative philology の教授になった。ルーマニ ア・アカデミー、ペテルブルグ・アカデミーのアカデミー会員、 ニューヨーク・アカデミーの名誉会員にえらばれた。ルーマニ ア・アカデミーからの依頼でルーマニア語源辞典 Etymologicum magnum Romaniae（第1巻 1884, 第2巻 1887, 第3巻 1893, 第4巻 1898）を出したが、規模が大きすぎたため、中断された。Din is- toria limbii romane（1883）, Sur les éléments turcs dans la langue rou- maine（1886）。彼は百科事典的な知識の持ち主であり、詩人、哲 学者、歴史家でもあり、Sic cogito（1892）のような著作もある。 スラヴ人とルーマニア人の関係に詳しく、その言語的関係につい ても研究した。

Hatzidakis, Georgios（ヨルゴス・ハツィダキス, 1843-1941）。ギ リシアの言語学者。アテネとドイツに学び、1885年アテネ大学 教授、のち Salonika 大学名誉教授。ギリシア最大の言語学者と考 えられ、近代ギリシア語の科学的研究の創始者の一人とされる。 古代ギリシア語、中世ギリシア語、すべてのバルカン諸語を研究 した。Einleitung in die neugriechische Grammatik（Leipzig, 1892） は基礎的な著作である。ギリシアの純正語（katharevusa）と民衆 語（dimotiki）を考察し、Die Sprachfrage in Griechenland（1905） を書いた。

Havet, Pierre Louis（ピエール・ルイ・アヴェ, 1849-1925）。フラ ンスのラテン語学者。1885年、Collège de France 教授。Cours élé- mentaire de métrique grecque et latine（5版, 1914）; De oratore（1927）, Manuel de critique verbale appliquée aux textes latins（1911）.

Hehn, Victor（ヴィクトル・ヘーン, 1813-1890）。ロシア系ドイツ

の言語学者。1841年、エストニアのTartu大学教授。1851年、自由思想のかどでツァーリ政府のためシベリアに送られたが、解放されて、ペテルブルグ国立図書館の館長になった。1873年、ベルリンに移住した。言語学の分野では、言語古生物学（linguistic paleontology；先史時代の文化を研究する）を研究し、Kulturpflanzen und Haustiere in ihrem Übergange aus Asien nach Griechenland und Italien sowie in das übrige Europa（8版, revised by O.Schrader, 1911）を書いた。言語学以外にもÜber die Physiognomie der italienischen Landschaft（1844）, Italien, Ansichten und Streiflichter（4版, 1892）, Reisebilder aus Italien und Frankreich（1894）.

Hermann, Eduard（エドゥアルト・ヘルマン, 1869-1950）。ドイツの言語学者。Kiel大学（1913）、Frankfurt大学（1914）、Göttingen大学（1917以後）教授。印欧言語学が中心で、特にギリシア語、リトアニア語で、主著はDie Nebensätze in den griechischen Dialektinschriften in Vergleich mit den Nebensätzen in der griechischen Literatur und die gebildete Sprache im Griechischen und Deutschen（1912）, Silbenbildung im Griechischen und in den anderen indogermanischen Sprachen（1923）, Litauische Studien, eine historische Untersuchung schwachbetonter Wörter im Litauischen（1926）, Lautgesetz und Analogie（1931）.

Heusler, Andreas（アンドレアス・ホイスラー, 1865-1940）。スイス、ドイツの言語学者、文献学者。1894-1919年Berlin大学教授、その後生地のBasel大学教授。古代アイスランド語の分野で、第一人者で、Altisländisches Elementarbuch（2版1913）は最良の入門書として学生の必携書だった。Die Altgermanische Dichtung（1924）, Germanentum：vom Lebens- und Formgefühl der alten Germanen（1941）.

Hindi（ヒンディー語）。インドの言語で、イギリス人が19世紀に作った言語。ヒンディー語はdēvanāgarī文字で書かれ、ウル

ドゥー語（Urdu）はアラビア文字で書かれる。言語はペルシア語とアラビア語をヒンディー語に変えて作った。ヒンドゥー人（Hindu）のための共通語である。ウルドゥー語はヒンドースターニー（Hindōstānī）語が発達したものである。

Hindi Eastern（東ヒンディー語）。インド・アリアン諸語の一つで、Oudh, Baghelkhand, Čhattisgarh 州に2500万人に話される。このうち最重要は Awadhī 語（Oudh 州）で、豊富な文学がある。東ヒンディー語の地域は伝説の王 Rāmāyaṇa の Rāma が生まれたところである。与格・対格は後置詞 kā または kē で作られる。所格（locative）は -mā. 動詞の過去は、Neo-Indo-Aryan 語と同様、受動過去分詞から作られる。サンスクリット語 māritaḥ "struck" は mār-e-ū "I struck", mār-i-s "thou struckst or he struck".

Hindi Western（西ヒンディー語）。インド・アリアン諸語の一つで、Madhyadeśa 地域に、Punjab から Cawnpore にかけて4200万人に用いられる。西ヒンディー語はヒンディー語のうち最も分析的な言語で、tense は1個しかなく、助動詞と過去分詞で作られる。名詞の格は後置詞で表す。

Hirt Hermann（ヘルマン・ヒルト, 1865-1936）。ドイツの言語学者。Leipzig で Friedrich Zarncke, Karl Brugmann, August Leskien に学び、Lithuania, Serbia, Bosnia, Hercegovina を旅して印欧語の原始文化に関心を抱き、Die Indogermanen, ihre Verbreitung, ihre Urheimat und ihre Kultur（2 vols. 1905-1907）を書いた。Hirt は1896-1912年 Leipzig で教え、1912-1936年まで Giessen で教えた。Der indogermanische Akzent（1895）, Der indogermanische Ablaut（1900）が基礎となり、Indogermanische Grammatik（7巻, 1921-1936）, Urgermanische Grammatik（3巻, 1931-1934）がある。

Hittite, cuneiform（ヒッタイト語、楔形）。

古代アナトリアのヒッタイト王国の言語（1700-1200 B.C.）で、トルコのハットゥサ Hattushash（現在ボガズケイ Boğazköy「峠の

山」；Ankaraの東90マイル）で発見された言語。ドイツの考古学者ヴィンクラー Hugo Wincklerが1906年、1912年に発見し、チェコの東洋学者ベドジフ・フロズニー Bedřich Hrozný（ロシア語 groznyj雷の）が1914-1916年に解読し、印欧語族の言語であることが判明した。フロズニーは当時ウィーン大学講師で、のちにプラハ大学教授になった。nu［楔形文字パン］-an ezateni wadarma ekuteni（いま［パン］をなんじらは食べ、水を飲むべし）と解読し、印欧語であることが鮮明になった。nuは英語のnow, ezateni は英語eat, ドイツ語essen, wadarは英語water, ギリシア語hýdōr ヒュドール, である。この解読は20世紀印欧言語学の大きな収穫だった。

その後、名詞の単数主格-s（有生物；無生物はゼロ）、属格-as（＜*-os）、与格-e or -i, 奪格-az, 造格-et, 複数主格（有生物）-es, 対格-us, 無生物複数-a）；wadar, 属格wedenasは印欧語に特徴のr/n（heteroclitica）などが発見された。代名詞uk「私」はラテン語 ego, amuk「私を」（ドイツ語mich）, wes "we", anzas "us, ドイツ語 uns", sumes "ye"（ギリシア語humeîs）；kwis "who"（ラ quis）, kwiskwis "whoever"（ラ quisquis）が解読された。

楔形ヒッタイト語はcentum語（ラテン語centum "100"）で satem語（ロシア語sto）ではない。

Hieroglyphic Hittite（象形文字ヒッタイト語）も印欧語で前2千年紀の中ごろからBC700年ごろまでアナトリアと北シリアに話されていた。H.T.Bossert, E.Forrer, I.J.Gelb, B.Hrozný, P.Meriggi らによって解読された。ášwas "equus", świanis "dog", kis "who", ki- "make".

Hofmann, Johann Baptist（ヨーハン・バプティスト・ホーフマン, 1886-1954）。ドイツの言語学者。München大学に学び、同じ München大学教授。Thesaurus linguae latinae（1894-, 2050ごろ完成予定）の編者。20世紀、ラテン語の分野で最大の権威の一人

であった。俗ラテン語の会話 Lateinische Umgangssprache（1926）、Alois Walde の Lateinisches etymologisches Wörterbuch の 改 訂、Lateinische Schulgrammatik（1929）、Etymologisches Wörterbuch des Griechischen（1949）。ギリシア語語源辞典は A.Meillet よりも進んでいた（pélomai, zu ai.cárati, スラヴ語 kolo 車輪）。『現代ラテン語会話』有川貫太郎ほか訳，大学書林。

Hrozný, Bedřich（ベドジフ・フロズニー, 1879-1952）。チェコの言語学者、考古学者。Wien, Berlin, London でエジプト学、セム学を、とくに Friedrich Delitzsch, Hugo Winckler のもとで研究。1905年、Wien で教え始めたが、1919年、祖国チェコが解放されると、Praha に戻り、東洋学教授になった。1916年、ヒッタイト語を解読したあと、Die Sprache der Hethiter, ihr Bau und ihre Zugehörigkeit zum indogermanischen Sprachstamm（1916）を書物にまとめ、アナトリアの全体像が解明された。雑誌 Archiv Orientální を編集。Praha の Karel 大学の学長になった。

Humboldt, Wilhelm von（ヴィルヘルム・フォン・フンボルト, 1767-1835）。文芸学者であり、政治家であり、言語学者であったフンボルトは、19世紀の言語学において主流の中には位置していなかった。もし Humboldt がいなかったとしても、今日の言語学は、それほど変わっていなかっただろう、とする言語学史が少なくない。それにもかかわらず、依然として、あるいは、ますます読まれ、ここ数十年の間にも、各種のドイツ語版、リプリント、英語訳（Florida, 1971）、フランス語訳（Paris, 1974）、日本語訳（亀山健吉訳、『言語と精神。カヴィ語研究序説』（東京、法政大学出版局、1984, 23頁＋672頁＋6頁）。その述べるところは「言語は精神活動の所産である」ということである。Wilhelm von Humboldt, Über die Verschiedenheit des menschlichen Sprachbaues und ihren Einfluss auf die geistige Entwickelung des Menschengeschlechts. Berlin, Ferdinand Dümmler, 1836（Wilhelm von Humboldts Gesammelte Schriften. Herausgegeben von der Königlichen Preussischen Akademie der Wissenschaften, 17 Bde. Berlin, B. Behrs Verlag, 1906-1936のうちの第7巻。Einleitung zum Kawiwerk. Siebenter Band, erste Hälfte. Hrsg. von Albert Leitzmann, 1907.（reprint Berlin, Walter de Gruyter & Co. 1968, pp. 1-347.［Pott版］Ueber die Verschiedenheit des menschlichen Sprachbaues und ihren Einfluss auf die geistige Entwickelung des Menschengeschlechts. Herausgegeben und erläuert von A.F. Pott. 2.Aufl. Berlin, Verlag von S.Calvary & Co. 1880（reprint Hildesheim, Georg Olms Verlag, 1974）, pp.561 + 569頁。うち p.423-544は Zusätze durch A.F.Pott；前半の3頁から537頁は August Friedrich Pott による "Wilhelm von Humboldt und die Sprachwissenschaft" と題する535頁に及ぶ詳細なフンボルト言語学入門である。Pott（1802-1887）は Halle 大学一般言語学教授で、ジプシー語および印欧語語源研究の専門家であった。

　泉井久之助『フンボルト』（田辺元監修「西哲叢書」1938）。序説（啓蒙主義、自己育成、シラー、ゲーテ、その後、自叙伝）、言語研究（その発展、哲学的背景、方法と態度、その結果：言語の起源とその本質、言語の機構、分節作用と言語形式、内的言語形式 die innere Sprachform と諸言語の性格、言語の種々性と言語の分類）

Hungarian（ハンガリー語）。言語人口1300万で、ウラル語族の中では最も大きい。ハンガリー語では magyar モジョルという。ハンガリー国は Magyarország モジョル オルサーグ（ország は「国」）という。ハンガリー共和国（首都ブダペスト）内の950万、チェコとスロバキアに40万、ロシアに15万、ルーマニアに150万、ユーゴスラビアに50万、オーストリアに1.5万人、アメリカ合衆国に63万人に用いられる。ハンガリー語から英語の coach（地名 Kocs コチ）、goulash, paprika を通して世界に広まった。

　文法特徴は、1. 主体・対象活用の区別（目的語の定・不定）。

I wait は várok だが、I wait for Béla は várom Bélāt で、目的語の定・不定により動詞の語尾が異なる。

2. 定冠詞の発達。könyv "book", a könyv "the book". Gyula Décsy（1925-2008；ハンガリー領チェコ生まれ、Hamburg で大学教授資格 Habilitation をとり、1967年以後、アメリカ Indiana 大学教授）によると、14世紀ごろ、近隣の言語の影響で、発達した。Gyula ジュラは Julius にあたる。フィンランド語は定冠詞も不定冠詞も発達せず、kirja は "a book, the book"

3. 格が多い。生産的な格が17個もある。関係接尾辞（Relationssuffixe）という。

I live in Budapest = Budapesten lakom.

I go to Budapest = Budapestre megyek.

I come from Budapest = Budapestről jövök.

フィンランドと異なり、Kalevala のような叙事詩がない。

［参考書］今岡十一郎（1888-1973）『ハンガリー語四週間』大学書林、第3版 1952. ハンガリー語と文化、フィン・ウゴル民族と諸語、ハンガリー語の特徴、外来語：barát 友人、rózsa バラ、puzsta 草原、asztal 机（ロシア語 stol）、király 王＜固有名詞 Karl、人名 István イシュトバーン＜ギリシア語 Stéphanos 花輪。

Hüschmann, Heinrich（ハインリッヒ・ヒュプシュマン, 1848-1908）。ドイツの言語学者。Leipzig で教えたあと、Strassburg 大学教授になった。アルメニア語研究の第一人者で、Über die Stellung des Armenischen im Kreise der indogermanischen Sprachen（Kuhns Zeischrift, 1875）を発表。アルメニア語文法（1895）、アルメニア語の語源、地名、人名を研究。イラン語のアヴェスタ語に関しても Avestastudien（1872), Etymologie und Lautlehre der ossetischen Sprache, Persische Studien（1895)、印欧語全体に関し Zur Casuslehre（1875), Das indogermanische Vocalsystem（1885). 後に A.Meillet の Esquisse d'une grammaire comparée de l'arménien classique . Vienne 1936, seconde édition.

Hyakunin-isshu（百人一首；One hundred poems）。

　言語学と関係ないが、Collier's Encyclopediaにはさんであったので、Ono no Komachiの一句と挿絵を入れる。

　小野小町；9世紀の女流歌人 825-900.

花の色はうつりにけりないたづらに

わが身世（み よ）にふるながめせしまに

　The color of flowers fades away because of rain, so is my beauty fading away. tr. by William N. Porter（1886-1973）

　和歌に漢語は含まれていない（1909, William N. Porter）。

小野小町（花の色はうつりにけり…）

I（文字）。基本母音 i,e,a,o,u の一つで、日本語の母音もこの5個である。アラビア語は e,a,o の3母音なので、i も e も同じに聞こえる。ラテン語は短音と長音の区別があり、venit "he comes" と

vēnit "he came"；rosa（バラの花は）とrosā（バラの花で［飾る］）は母音の長短で区別する。ドイツ語とフランス語は円唇（lip-rounding）を伴うüとöを工夫した。フランス語はドイツ語の［ü］をuと書く。フランス語はドイツ語のöをeuと書く（heureux, fleur）。ドイツ語Buch（本）、Bücher（複数）。フランス語はuが［y］の音になったので、もとの［u］のためにはouと書くようになった。amour［amur］

　ギリシア語は、音韻変化が激しく、古代から近代にいたる間に、母音i,ī,u,ū,ē,ei,oi,uiがすべてiになった。これをiotacimeと呼ぶ（J. Marouzeau, Lexique de la terminologie linguistique（Paris, 1951³, p.127)。ロシア語もRoma＞Rim.

Iberian（イベリア語）。イベリア半島（とガリアのGaronne, Rhône地方）に住んでいたイベリア人の言語で、フェニキア起源と思われる文字で100個ほどの碑文に残る。スペインLa Serrata（Alicante）の342文字の碑文があり、解読はされていない。地名-tānus（cf.neapolitanus）やラテン作家により伝わるcunīculus 'a passage underground', balux 'gold sand', 碑文からlausia 'square stone'（スペイン語losa）, paramus（スペイン語pálamo草原地帯）, pizarra（石板）, cerro（丘）が知られている。perro（イヌ）, cama（ベッド）もイベリア語起源らしい。イベリア語とバスク語は同じ地方の言語であるが、両者の関係は不明である。バスク人Vasconesの国名Vasconiaはフランスの地方名Gascogneガスコーニュに残っている。グラナダ近くのElviraはLivius, Pliniusに出るIliberi, Illiberri, バスク語iri-berri "new city"かもしれない。イベリア人は、Senecaによると、Corsica, Sardinia, Sicilia, そしてアフリカまで広がっていた。

Ido（イド）。エスペラントから派生した人口語。Esperantido（小さなエスペラント語）の意味で、フランスの哲学者Louis Couturat（1868-1914）の考案した人工語。

Illyrian（イリュリア語）。古代イリュリア（今日のユーゴスラビ

ア、アルバニア、古代トラキア）の言語。地名の特徴は -st-
(Tergeste, Ateste), -nt-, -nc-, -rn-, -ona, 種族名 -ōto-, -opes, -ones, -īno-
. ラテン語に入ったイリュリア語は gentiana（リンドウ）で、これ
はイリュリアの王 Genthios（紀元前 2 世紀）が薬草に用いた。英
語 gentian, ドイツ語 Gentiane（Enzian），フランス語 gentiane に残る。
ほかに ister, liburna, mannus, paro, panis, faenum があり、イタリア
語 manzo（雄牛）に残る。

impersonal verbs（非人称動詞）。人称が示されない動詞で、it
rains, it snows, it pours, it thunders があり、thirst, cold, 不安、後悔、
恐怖などを表す。印欧語の古い時代からあり、ラテン語 me pudet,
me piget, me taedet, me miseret（私は恥ずかしい、後悔する、うん
ざりする、悲しい）、ドイツ語 es verlangt mich, es dürstet mich, es
gelüstet mich nach, es gemahnt mich（なつかしい、のどがかわいた、
…がほしい、…と思われる）。非人称といったが、3 人称である。
it rains, es regnet, il pleut, イタリア語 piove, ラテン語 pluit. it disap-
pears（なんだかわからないが、消えた）。「雨が降る」をホメー
ロスは「ゼウスが雨降らす」Zeùs húei, 古代教会スラヴ語 bogŭ
dŭždĭtŭ「神が雨降らす」と言った。以下は「雨」が主語になるが、
ロシア語は doždĭ idët ドジディ・イジョート 'rain goes', ポーランド
語 deszcz pada「雨が落ちる」。ラテン語 Iupiter fulgurit ユピテルが
稲妻を投げる、caelum pluit 空が雨降らす、サンスクリット語
devo varṣati 神が雨降らす。it rains cats and dogs（土砂降り）はド
イツ語 es regnet Steine（石が降る）、フランス語 il pleut des pierres
（石が降る）。

Indic languages（インド語）。インド・イラン語派（Indo-Iranian）
のインド語派で、言語人口 6 億。主要な言語はヒンディー語
Hindī, ベンガル語 Bengālī, マラーティー語 Marāthī, ウルドゥー語
Urdū, パンジャブ語 Panjābī, シンディー語 Sindī などで、インド、
パキスタン、ネパール、スリランカに行われる。重要な文献は

Rig-Veda（王のヴェーダ：veda は「知識」）、叙事詩 Mahābharata, Rāmāyaṇa, 童話集パンチャタントラ Pañcatantra（5巻書）、ヒトーパデーシャ Hitopadeśa（hita-upadeśa よい教訓）がある。

Indo-European languages（印欧諸語、インド・ヨーロッパ諸語）。インドからヨーロッパにいたる広い地域に、および南北アメリカ、オーストラリアの植民者に使用される言語（約150）、言語人口20億万人の諸言語。第2言語、理解言語としての人口も入れれば、さらに多くなる。東から西にかけてインド・イラン諸語、アルメニア語、トカラ語、アナトリア諸語（ヒッタイト語、リュキア語、リュディア語）、プリュギア語、トラキア語、ギリシア語、アルバニア語、イリュリア語、イタリック諸語、ケルト諸語、ゲルマン諸語、バルト諸語、スラヴ諸語。これらのうち、最古の文献をもつサンスクリット語、ギリシア語、ラテン語の文献から印欧比較言語学 Indo-European linguistics が1816年、Sir William Jones（1746-1794）がサンスクリット語、ラテン語、ギリシア語の文法に共通の特徴を発見し、これらが同じ起源に属することを発見した（Asiatick Researches 1（Culcutta & London, 1778）。のちに、ドイツの Franz Bopp（1791-1867）の『サンスクリット語動詞活用体系について、ギリシア語、ラテン語、ペルシア語、ゲルマン諸語と比較して』（1816）のよって印欧比較言語学の研究が始まった。

Indo-Iranian languages（インド・イラン語）。インド諸語とイラン諸語の総称。言語総人口6億200万。印欧語族の最東端に位置し、前2千年紀から文献がある。

inflection（屈折；語形変化）。名詞、代名詞、形容詞、動詞が性、数、格、時制（tense）、人称、態によって語形が変化すること。my father's house, the man I saw yesterday's house. ラテン語 lupus, lupa（メスオオカミ）、その属格 lupī, lupae…；amō の人称変化 amās, amat…、受動態 amor, amāris, amātur…など。

interjection（間投詞）。不変化の品詞。ah! oh! pooh! bravo! hello! ouch! など。子音のみのhm! ps! pst! 間投詞は語源がない。文中、動詞の役割を示すことがある。He fell bumpety-bump down the stairs. I heard a shell wish-wishing toward me.

Iordan, Iorgu（ヨルグ・ヨルダン, 1888-1986）。ルーマニアの言語学者。1917年 Iaşi 大学ロマンス語 philology 教授。1946年ブカレスト大学ロマンス文献学教授。ルーマニア語辞典 Dicţionar limbii române の続行。Rumänische Toponomastik（1924-1926, 2巻）；An introduction to Romance linguistics（1937）.

iotacization（i音になること）。Roma がロシヤ語で Rim になる。

Iranian languages（イラン諸語）。西アジアの広大な地域に話される 3000万人の言語群。その地域は Iran, Baluchistan, Afgha-ni-stan, 北西インド、イラク、コーカサスのオセット（Ossetes）、トルコに及び、近代インド方言、ウルドゥー語、ヒンディー語、さらに、中央アジアからトルケスタン、南ロシアに達した。中世ペルシア語はアルメニア語に大きな影響を与え、アルメニア語は半分ペルシア語と言えるほどである。サンスクリット語 putra-（息子）がアヴェスタ語 puθra-, 近代北ペルシア語 puhr, 南ペルシア語 pus.

Íslenzkar þjóðsögur og ævintýri（safnað hefur Jón Árnarson）。ní útgáfa. Reykjavík 1961（2016.1.8. コピー東海大学・福井信子さんより）Bonfante と無関係だが Collier's Encyclopedia 添付資料にあったので、ここに掲載する。

「妖精の起源」ヨウン・アウルトナソン著。

むかし、ある男が旅に出ていた。彼は道に迷って、どこにいるのか分からなかった。

ついに、彼は、どこか分からぬ屋敷に来た。そこでドアをノックした。中年の婦人が出て来て、お入りなさい、と言った。彼はそれを受けた。屋敷の住居は、なかなか立派で清潔だった。婦人

は男を客間に案内した。そこには二人の若い美しい娘がいた。

　屋敷の中には中年の婦人と娘たち以外に、だれも見えなかった。彼は歓迎され、食事と飲み物が出され、それから寝室に案内された。

　男は娘さんの一人と寝てもよいか、とたずねると、よいとの返事を得た。そこで二人は横になる（現在：サガでは時制の変化がよくある）。男は彼女を抱こうとするが、娘がいるところには肉体がない。

　彼は彼女をつかもうとするが、彼の手の中には、なにもなかった。娘は静かに彼のかたわらおり、そのあいだ、ずっと彼女の姿が見えるのに。これはどういうわけですか、と彼は彼女に、たずねる。驚く必要はありません、と彼女は答える。「私は身体がない霊なのです」と彼女は言う。（霊 andi 'spirit'；ラ animus 魂、anima 息）

　彼女は続けた。「むかし、悪魔が天国で反乱を起こしたとき、悪魔とその同盟軍は、そとの暗闇の中に追放されました。」

　悪魔のあとを追って行った者たちも、天国から追放されました。悪魔に反抗するでもなく、どちらの軍にも参加しなかった者は地上に追放され、丘や岩山に住むように定められたのです。彼らは妖精（álfar）、または姿の見えない人々（huldumenn）と呼ばれます。

　彼らは他の種族と住むことはできません。同じ種族同士でしか暮らせません。彼らは善も悪も行うことができ、しかも、極度に大きなこともできます。彼らは、あなたがた人間のような身体を持っていません。しかし、妖精のほうで見せたいと思ったときは、姿を見せることができます。私は、この追放された霊の一団の一人です。ですから、あなたは私から満足を得ることはできません。」

　男はこれに納得し、のちに、この出来事を伝えた。

『アイスランド民話と童話』2巻はKonrad Maurerの助力により Leipzigから1863-1864年に出版された。（下宮『エッダとサガの言語への案内』近代文藝社2017, 2018²）

it rains（雨が降る）。ラテン語pluit, イタリア語piove, スペイン語 llueve, フランス語il pleut, ドイツ語es regnetのように非人称で表現する。古代教会スラヴ語はbogŭ dŭždĭtŭ神が雨を降らす, ロシア語dožd' idĕtドシチ・イジョート（雨が行く）, ポーランド語 deszecz padaデシェチ・パダ（雨が落ちる）という。ラテン語 deus pluit, ギリシア語もZeùs húei. ゼウスが雨降らす。泉井久之助 『言語構造論』創元社, 1947, p.65.

Italian（イタリア語）。ロマンス諸語の一つ。俗ラテン語に最も近い。5600万人に話される。イタリア本土（4300万）, シチリア島（470万）, スイス（75万）, アメリカ合衆国（350万）。13世紀から14世紀にかけて登場した三大文豪ダンテ、ペトラルカ、ボッカッチョの用いたトスカーナ方言がイタリアの標準語になった。音楽・芸術用語aria, opera, piano, solo, sonata, soprano, studio, 金融関係bank, bankruptcy（＜banca rotta壊された勘定台：つぶれた銀行に金を返せ！と債権者が怒鳴り込み、勘定台を壊した）、料理macaroni, spaghetti, risotto, lasagna, broccoli, zucchini, ほかgondola, malaria（mal-ariaわるい空気）, umbrella, volcanoなどを世界に提供した。

Italic languages（イタリック諸語）。イタリアのアペニン半島で行われていた印欧語族の分派で、ラテン語が最も重要である。ラテン・ファリスキ諸語Latin-Falisciとオスク・ウンブリア諸語Osco-Umbrianの総称である。

Iwatani, Tokiko（岩谷時子, 1916-2013）。作詞家。恋のバカンス、恋の季節、ウナ・セラ・ディ・東京、愛の讃歌、サン・トワ・マミー。宝塚の編集部に勤務しながら、越路吹雪（1924-1980）のマネージャーをしていたが、その謝金はとらなかった。代表作の

一つ「愛の讃歌」(L'hymne à l'amour, 作詞エディット・ピアフ)
は岩谷の訳詩。

Izui, Hisanosuke（泉井久之助, 1905-1983）。京都大学言語学教授、
京都産業大学教授。新村出（1876-1967）の後任。日本言語学会
会長1977・1978年度会長。印欧言語学、ギリシア語、ラテン語、
ヒッタイト語、マライ・ポリネシア諸語（戦時中、太平洋に
フィールドワークを行った）。その成果は『マライ・ポリネシア
諸語』1001-1094頁、市河三喜・服部四郎編『世界言語概説・下
巻』研究社、1955に収録。印欧諸語に通じていたが、とりわけ愛
情をそそいだのはラテン語であった。『ラテン広文典』白水社
1952, 470頁、復刻版2005. タキトゥス「ゲルマーニア」De Ger-
mania Liber, Cornelii Taciti 1941, 最初、田中秀央共訳の名あり、
泉井単独訳、のち、岩波文庫、1953. 京都大学言語学科卒業論文
「印欧語におけるインフィニティヴの発達」1927（『言語学論攷』
敞文館、大阪、1944, 2000部、534頁中の309-380頁）が将来を約
束しているように見える。現代のヨーロッパ語にはめずらしいポ
ルトガル語の人称形infinitiveも挙げられている。例mesu amigos
dizião não virem os seus condicipulos=mes amis dirent que leur condi-
ciples ne venaient pas（Armes, Grammaire portugaise）とある。この
viremはヨーロッパ諸語にはめずらしく、不定詞の人称形（that
they would comeの意味）になっている。

　印欧言語学とは全く異なった分野の研究に『フンボルト』（西
哲叢書, 1938）が出たとき、著者は33歳であった。あのベルリン
アカデミー版フンボルト全集17巻を半年で通読したというから
驚く。小林英夫がソシュールの翻訳とその内容に肉迫したとすれ
ば、泉井久之助はフンボルトの神髄に肉迫したと言えよう。1967
年、国際言語学者会議がBucharestで開催されたとき、泉井はDi-
topical expressions in Japanese（ボクハウナギガスキダas for me I
like eel）を発表した。2005年9月11日、泉井久之助生誕百年記念

会が京都大学会館で開催されたとき、江口一久氏が「泉井先生は原著のページを斜めに読んで、本の中身を迅速にかつ正確につかむ技術を会得しておられた、というエピソードを紹介した。

J（発音）。ラテン語iの子音jは英語、フランス語、スペイン語に導入された。フランス語ではjanvier, jeudi, déjà, majeurなどにžの音で用いられ、英語ではJanuary, Japan, jetなどdžの音として用いられる。スペイン語では［χ］の音junioフニオ, julioフリオ, Jorgeホルへ（George）に用いられる。ロシア語のローマ字表記にNovaja Zemljaノーヴァヤ・ゼムリャー（新しい土地）。

Jaberg, Karl（カール・ヤーベルク, 1877-1958）。スイスの言語学者。Bern, Firenze, Parisで研究。Gilliéron「フランス言語地図」を学んで言語地理学を専攻。Jakob Judと一緒にSprach- und Sachatlas Italiens und der Südschweiz, 8 vols.）次いでDer Sprachatlas als Forschungsinstrument, kritische Grundlegung und Einführung in den Sprach- und Sachatlas Italiens und der Südschweiz（Halle, 1928）, Aspect géographique du langage（Paris, 1936）.

Jackson, Abraham Valentine Williams（エイブラハム・ジャクソン, 1862-1937）。アメリカの言語学者、宗教史家。Columbia大学でインド・イラン語を教える。Avestan Grammar（1892）, An Avestan Reader（Stuttgart, 1893）, Early Persian Poetry（New York, 1920）, Die iranische Religion（in Grundriss der iranischen Philologie, by Geiger und Kuhn, Strassburg, 1896-1904）.

Jacobi, Hermann Georg（ヘルマン・ゲーオルク・ヤコービ, 1850-1937）。ドイツの東洋学者。Münster, Kiel大学教授。Ausgewählte Erzählungen in Mahārāṣṭrī, zur Einführung in das Studium des Prākrit（Leipzig, 1886）, Das Rāmāyaṇa, Geschichte und Inhalt, nebst Concordanz（Bonn, 1903）, Compositum und Nebensatz, Studien über die indogermanische Sprachentwicklung（Bonn, 1897）.

Jagić, Vatroslav（ヴァトロスラフ・ヤギッチ, 1838-1923）。クロ

アチアの言語学者。Wien で 1850-1860 年 Miklosich のもとで研究。
1872-1874 年 Odessa, 1874-1880 年 Berlin, 1880-1886 年 St. Petersburg
で教授、1886-1909 年、Miklosich のあとを継いで Wien 大学教授。
Codex glagoliticus quattuor evangeliorum Zographensis (Berlin,
1879), Istorija slavjanskoj filologij (St. Peterburg, 1910). St.Petersburg
から A.Meillet に『スラヴ祖語』執筆依頼し、メイエの Le slave
commun (Paris, 1924, 1934²；538pp) が出版された。

Jakobson, Román（ロマン・ヤコブソン、1896-1982）。1914 年モ
スクワの東洋語学院卒、1918 年モスクワ大学卒。1915-1917 年ロ
シア科学アカデミーで方言学とフォークロアのフィールドワーク
に従事。1918-1920 年モスクワ大学研究員。1920 年 Praha に行き
1930 年 Ph.D.取得。1933 年、チェコ Brno の Masaryk 大学教授。
1949 年、アメリカの Columbia 大学比較言語学・スラヴ諸語教授。
ロシアフォルマリズムのパイオニアとして言語学の方法を文学研
究に応用し、詩の意味論、韻律論を研究。Trubetzkoy, V.Mathesius
と一緒にプラーグ言語学派を結成。旧シベリア (Paleo-Siberian)
諸語を研究。Newest Russian Poetry (1921), Czech Verse, as com-
pared to Russian (1923), Remarques sur l'évolution phonologique du
russe (1929), Kindersprache, Aphasie und allgemeine Lautgesetze
(1941).

［以下、「言語学 I」英語学文献解題第 1 巻、研究社、1998 の下宮］
ヤコブソン選集 Selected Writings. 8 vols. The Hague, Mouton 1962-
1988. 131 + 5650 pp. 全 8 巻の副題と目次を見ると、言語学プロ
パーよりも詩学、スラヴ文学関係のほうが、分量が多く、その率
は 1:2 ほどである。ヤコブソンは、しばしば指摘されるように、
20 世紀を代表する知性の一人だった。文学作品を言語芸術とし
てとらえ、その中に構造を見出そうとした。言語学者としてはプ
ラーグ学派の主要メンバーである。N.S.Trubetzkoy とは終生、学
問 的 交 流 を 結 び（cf. Trubetzkoy's Letters and Notes, ed. Roman

Jakobson, 1975）、その遺稿Grundzüge der Phonologie（1939）を
Travaux du Cercle Linguistique de Pragueの中の第7巻として出版し
た（当時ヤコブソンはプラーグ言語学団の副会長）。Vladimir Ma-
jakovskij（1893-1930）をはじめ、画家、詩人、文芸理論家との交
流も多く、未来派詩人フレーブニコフ（V.V.Xlebnikov, 1885-
1922）をロシア最大の詩人として崇拝していた。

　モスクワの化学技師の息子として生まれたヤコブソンは、トゥ
ルベツコイと同様、知的環境に恵まれて育った。1906-1914年ラ
ザレフ（Lazarev）東洋語学院に学び、ここで院長だった民族学
者、文献学者ミレル（Vsevolod F.Miller, 1848-1913）に接した。
民族学会を通して、Trubetzkoyにとっても Miller は恩師だった。
1914年、モスクワ大学の歴史文献学部、スラヴ・ロシア学科に
入学し、1915年、ヤコブレフ N.F.Jakoblev, 1892-1974（コーカサ
ス諸語）、ボガトゥイリョフ（P.G.Bogatyrev, 1893-1971；folk-
lore）らとモスクワ言語学研究会（Moskovskij lingvističeskij
kružok）を創設して、その会長となった。モスクワではフォル
トゥナートフ F.F. Fortunatov, 1848-1914（印欧言語学）の弟子ウ
シャコフ D.N. Ušakov（1873-1942；『詳解ロシア語辞典』4巻で有
名）の指導を受けたが、ヤコブソン自身はペテルブルグ学派のシ
チェルバ L.V. Ščerba（1880-1944；Jan Baudouin de Courtenayの弟
子）の論文を読んで、音素に関する概念を得た。1917年には
ジュネーヴから一時帰国したカルツェフスキー（Sergej Karcev-
skij, 1884-1955）を通してソシュールの言語学に接した。

　1920年、チェコのプラハに来て、言語学・英語学のマテジウ
ス Vilém Mathesius（1882-1945）と出会い、1926年、Mathesiusを
会長にプラーグ言語学団Cercle Linguistique de Pragueを創設した。
1928年、オランダのハーグで開催された第1回国際言語学者会議
First International Congress of Linguistics で、言語の音韻組織（phonol-
ogie）を記述する最良の方法は何か、という問題を提起して、言

語学史に名高い機能的音声学としての音韻論（phonology as functional phonetics）の誕生を世界に訴えた。これはJakobsonが起草して、N.S.TrubetzkoyとS.Karcevskijが署名した。1930年、プラハのカレル大学（Universitas Carolina）で南スラヴ叙事詩の韻律に関するテーマで学位を得て、1933-1939年、チェコのBrno大学でロシア文献学と古代チェコ文学を教えた。コペンハーゲンから出たActa Linguistica創刊号1939に国際評議会の一人としてR.Jakobson, Brnoと出ている。1939年、ナチスのチェコスロバキア侵攻を逃れて、1940-1941年、CopenhagenとUppsalaに避難。CopenhagenではV.Brøndal, L.Hjelmslevと、OsloではAlf Sommerfeltと出会った。Uppsalaで失語症の研究Aphasie und allgemeine Lautgesetze（1941）を完成。渡米して1942-1946年、ニューヨークの高等自由学院École Libre des Hautes Études（これはフランス人、ベルギー人のためのuniversity in exileだった）で教え、1943-1946年、Harvard大学スラヴ語・スラヴ文学教授。このとき、Columbia大学からHarvard大学にスラヴ語学科の大学院生14人もが、Jakobsonを慕って移籍した。1960年から一般言語学教授、1957-1970年、Massachusetts Institute of Technology教授を兼任した。これより先、1943年に、Linguistic Circle of New Yorkの創立に参加し、ヨーロッパとアメリカの学者の交流をはかった。Henry Kučera, Horace G. Hunt, Edward Stankiewicz, Dean S. Worth, Morris Halle, Calvert Watkinsらを育て、1956年（60歳）、1966年（70歳）に、それぞれ大部のFestschriftが贈られたが、その筆者は、みな、ロシア、チェコ、欧米の著名な言語学者であった。Columbia, Massachusettsの邸宅にKrystyna Pomorska夫人とともに住んだ。ヤコブソンの墓地（Cambridge, Mass.）にはRoman Jakobson - russkij filolog（ロシア文献学者）と刻まれている。年少からフランス語をよくし、初期にはフランス語による論文が多く、ついでドイツ語の論文が続き、アメリカに移住（1942）してからは英語による

発表が多くなった。プラーグ時代はチェコ文学に関するものが多く、これはチェコ語で書かれている。この辺の事情は三省堂の『言語学大辞典』の「術語編」にくわしい。

多種多様な業績は、どれか1つ主著をあげるのが困難であるといわれる。プラーグ時代の "Remarques sur l'évolution phonologique du russe comparée à celle des autres langues slaves" TCLP 2, 1929, 1-118. Selected Writings I, 7-118（ロシア語の音韻発達についての考察、他のスラヴ語のそれと比較して；ロシア語の音韻史を、個々の音の歴史ではなく、体系全体の中の変化ととらえる。これによって、通時態diachronieと共時態synchronieの排他性を解除することができる）；「音韻的言語連合について」「ユーラシア言語連合の性格について」1931（後述）；「ロシア語動詞の構造について」1932（後述）；「一般格理論への寄与、ロシア語の格の総合的意味」1936（後述）；ウプサラ時代は上述の『幼児言語、失語症および一般音韻理論』1941（後述）。アメリカに渡ってからは、Preliminaries to Speech Analysis：the Distinctive Features and their Correlates, with C.G.M.Fant & M.Halle, Cambridge, MA, 1952（『音声分析序説』1965）；Fundamentals of Language, with Morris Halle, The Hague, 1956, 1971[2]；"Linguistics and Poetics"（in：Style in Language, ed.T.A.Sebeok, Cambridge, MA, 1960）；The Sound Shape of Language, with L.Waugh, Bloomington, 1979（音韻形態論1986）などがある。ヤコブソンの特徴は文学作品の中に構造を見出そうと模索し、詩学と言語学の間に接点を求めたことである。ここから「文法の詩と詩の文法」1968、「詩とは何か」1933-1934、ダンテ、シェークスピア、ブレイク、ボードレール、ブレヒトの詩の分析が行われる（以上『ヤーコブソン選集3―詩学』川本茂雄編、川本茂雄・千野栄一監訳、大修館書店、1985に収められる）。文学以外にも応援を求め、「言語の科学と他の諸科学との関係」1973（『ヤーコブソン選集2―言語と言語科学と他の諸科学との関係』

服部四郎編、大修館書店、1977に収められる）などがある。

　以下に、その業績を5つほど紹介する。

　"Über die phonologischen Sprachbünde"（TCLP, 4, 1931, 234-240. ユーラシア言語連合の特徴について）は、大部のロシア語論文 K xarakteristike evrazijskogo jazykovogo sojuza（ユーラシア言語連合の特徴について）Paris, 1931, Selected Writings I, 1962, pp. 144-201, の要約である。ユーラシア言語連合は単音調Monotonieと子音口蓋化Palatalisierung（ロシア語に見える p:p', b:b', t:t', d:d' などの非口蓋的子音：口蓋的子音の対立）が特徴で、これはポーランドからモンゴルにいたる広大な地域を包括する。スウェーデン語、ノルウェー語、デンマーク語（の方言）に見える音楽的アクセント（複音調Polytonie）は改新（Neuerung, innovation）であり、バルト諸語、セルボ・クロアチア語の複音調は印欧語時代からの堆積物（言語島）である。Jakobsonは言語類縁性の原因となるconvergence des développements（発達の収束）をゲーテの親和力（Wahlverwandtschaft）に当たるとしている。

　"Zur Struktur des russischen Verbums"（Charisteria Gvilelmo Mathesio Qvinqvagenario, Praha, 1932, Selected Writings II, pp.3-15. ロシア語動詞の構造について）。有標marked・無標unmarked（merkmalhaft/merkmallos）は、2項対立のうち、より特徴的なほうを有標とするのであるが、Jakobsonは動詞の完了態（perfective aspect）をmarked, 不完了態（imperfective aspect）をunmarkedと考え、過去をmarked, 現在をunmarkedと考える（ドイツ語でStudentinは女子学生だが、Studentは男子（学生のほかに女子学生をも含めた学生一般を指す）。

　"Beitrag zur allgemeinen Kasuslehre. Gesamtbedeutung der russischen Kasus"（TCLP 4, 1936, 240-288. Selected Writings II, 23-71. 一般格理論への寄与、ロシア語の格の総合的意味）。ロシア語は nominative, genitive, dative, accusative, instrumental, locativeの6つの

格をもっているが、Jakobsonは gentive I, genitive II, locative I, locative IIの8つを区別する。genitive Iは snéga（vrémja snéga 'the season of snow'）のような -aの属格, genitive IIは snégu（mnógo snégu 'a lot of snow'）のような -uの属格, locative Iは snége（o snége 'about snow'）のような -eの位格, locative IIは snegú（v snegú 'in the snow'）のような -uの位格を指す。このロシア語格対立の全体体系を要約すると、次の表のようになる。

それぞれの対立のうち、右側または下側に位置するのが有標格 marked caseである。

（主〜対）〜（属I〜属II）

　｜　｜　　　｜　｜

（具〜与）〜（位I〜位II）

格を機能によって4種に分類する。関係格（Bezugskasus：対格, 与格）、範囲格（Umfangskasus：属格, 位格）、周辺格（Randkasus：具格, 与格, 位格）、形状化格（Gestaltungskasus：属格II, 位格II）。Kindersprache, Aphasie und allgemeine Lautgesetze（1941, Selected Writings I, 328-401）「幼児言語、失語症および一般音韻理論」1941. 幼児は広母音、最初はaを獲得し、子音のうちでは唇音を獲得する。そして最初の子音対立は口腔音と鼻音の対立（papa：mama）、続いて唇音と歯音の対立（papa：tata, mama：nana）が出現する。チェコ語の歯擦音のř（Dvořakドヴォルジャーク）は世界的にも、まれな音素であるが、チェコの子供にとっても、獲得が最も困難なもので、チェコからロシアへ移住した人は簡単にこの音を失う。獲得の遅い音素は、失語症に陥ると真っ先に失われる。流音rとlは幼児の末期に獲得されるが、失語症患者は、これを最も初期に、そして最も容易に失う。

"Die Folklore als eine besondere Form des Schaffens"（mit Petr Bogatyrev, 1929, Donum Natalicium Schrijnen, Nijmegen-Utrecht：N.V.Dekker & Van De Vegt, 1929, 900-913, Selected Writings IV, 1966,

1-15；創造の特殊な形態としてのフォークロア）。フォークロア
と文芸作品の関係はlangueとparoleの関係に類似している。
langueのようにフォークロア作品は個人の外にあり、潜在的な存
在しか有しておらず、それは一定の規範や刺激の複合であり、
paroleの生産者がlangueに対してなすように、演じ手が個人的創
造の飾りで伝統を生き生きとさせる。歌い手は、固定したテキス
トを暗唱するのではなく、いつも新たに創造してのと同じように。

　第5回国際言語学者会議（Vth International Congress of Lin-
guists, Bruxelles, 1939）は第二次世界大戦のために中止したが、la
langue poétiqueがテーマの一つに掲げられており、Réponses au
Questionnaire（Bruges, 1939）, pp.73-80にL.Michel, V.Pisani, A.Sau-
vageot, F.Dornseiff, J.Kuryłowicz, B.Terracini, P.Chantraine, V.Mag-
nienのrésumésが載っている。Roman Jakobsonは事情が許せば、
当然、ここに加わっていたであろうが、あいにく多難な局面に
あったとみえて、その名は見当たらない。

　なお、JakobsonのPoetic Theory（E. Stankiewicz, M.Halle）の言
語学と詩学にわたる多方面な業績を各専門家が論究・解説してい
る便利なKrystyna Pomorska, Elzbieta Chodakowska, Hugh McLean
& Brent Vine（eds.）, Language, Poetry and Poetics. The Generation of
the 1980s：Jakobson, Trubetzkoy, Majakovskij. Proceedings of the
First Roman Jakobson Colloquium, at the Massachusetts Institute of
Technology, October 5-6, 1984. Berlin, New York, Amsterdam：Mou-
ton de Gruyter. 第1編者はRoman Jakobson夫人で、扉にDedicated
to the memory of Krystyna Jakobson（April 5, 1928—December 19,
1986）, principal organizer of the colloquium, esteemed Slavist and dear
friendと書かれ、次の6部18論文よりなる。1. Jakobson, Trubetz-
koy, Majakovskij（K.Pomorska, E.Holenstein, H. McLean, B.
Gasparov）, 2. Jakobson's Linguistics（H.J.Seiler, C.H.van Schoo-
neveld, A.Liberman, L.Waugh）, 3. Jakobson's Theory of Grammar and

its Application（E. Andrews, C.Chvany）, 4. Jakobson's Poetics（E.Brown, T. Winner）, 5. Jakobson's Poetic Laboratory（S.Rudy, D.Vallier）, 6. Towards the history of Jakobson's international activities（L.Mateijka, J.Toman）.

Japhetic languages（ヤペテ諸語）。ソ連の言語学者Nikolaj Jakov-levič Marr（1864-1934）が南コーカサス諸語（Südkaukasisch）＝グルジア語Georgisch, ミングレル語Mingrelisch, スヴァン語Svanetischに与えた名称。旧約聖書のノアの3人の息子セム、ハム、ヤペテの最後の名を用いたものである。マルは南コーカサス語がセム語に近いと考えた。その後、ヤペテ語は北コーカサス、バスク語、エトルリア語、ヒッタイト語、ウラルトゥ語Urartu（アルメニアVan湖周辺）、エラム語も含め、人間言語の特定の発達段階と考えた。しかし、スターリンがマル説を批判した（1950）ため、それ以後、この説は捨てられた。（村山七郎、国語学辞典、1975, p.926）

jargon（隠語）。特定の仲間の間に用いられる単語で、一般人には理解されない。日本語の例：エンコ（公園、逆に言ったもの）、キス（好き、酒）、モク（雲、タバコ）、カラス（冬服巡査）、ドロン（駆け落ち）、ミョウ（妙、少女）。英語stimulus, response, I.Q., Oedipus complex, inferiority complexなどは、普通に用いられるようになった。軍隊から持ち帰ったgob, leatherneck, doughboy, buck private, jeep（戦後、日本でもたくさん見られた）、フランス語ではbocoo（beaucoup）, tout sweet（tout de suite）, trez biens（très bien）がある。

Jespersen, Otto（オットー・イェスペルセン［デンマーク語はイェスパセン］, 1860-1943）。コペンハーゲン大学英語学教授。「言語の歴史は退化でなく進歩である」ラテン語amāverōの総合的表現がI will have lovedの分析的表現に発達したのは、退化ではなく、進歩である、と言った。最初、イェスペルセンはフランス

語の教師をしていた。最初の著書Fransk begynderbog（フランス語入門書）は初版1892年1000部、第2版1897年1500部、第3版1901年1500部、第4版1904年1500部も売れている。この本は発音記号（まだ未熟だが）と正書法が見開きに印刷されている。1＋1＝2 un et un font deux. が左ページに発音記号、右ページに上記がある。Copenhagen大学比較言語学教授Vilhelm Thomsen（1842-1927）が、今度、英語学の講座が新設されることになったので、英語学に専念せよ、とイェスペルセンに言った。こうして、Progress in Language（1894）やChapters on English（1918）が誕生し、Nutidssprog hos børn og voxne（1916「子供と大人の現代語」）を含めて1冊にまとめたのがLanguage, its Nature, Development and Origin（London, George Allen and Unwin, 1922, 448pp. 市河三喜・神保格訳『言語―その本質、発達、および起源』岩波書店1927）である。イェスペルセンは、その後、The Philosophy of Grammar（1924）、半田一郎訳『文法の原理』岩波書店1958, 556頁.を出し、Modern English Grammar on historical principles（全7巻1909-1949, 第7巻は没後出版）を完成した。

Jones, Daniel（ダニエル・ジョウンズ, 1881-1967）。イギリスの音声学者。1921年University College in Londonの教授。1936年Zürich大学から名誉博士号を授与。英語音声学の専門家としてヨーロッパ、インド、アメリカの諸大学に招かれ講演した。イギリス放送協会の顧問。主著English Phonetics（Teubner, Leipzig, 1932, 3版, 326pp.）から引用する。932. Rhythmical variations（韻律変異）アクセントは文脈により変わる。'fourteen 'shillingsだが、'just four'teen, an 'unknown 'landだが、'quite un'known.

Jones, Sir William（ウィリアム・ジョウンズ, 1746-1794）。イギリスの東洋学者。Oxfordで東洋語を研究。1783年、インドに赴任して、Calcuttaの最高裁判所の判事になったが、サンスクリット語の研究を続け、1786年2月2日、Asiatick Societyでの講演で

「サンスクリット語はギリシア語、ラテン語よりも古い起源をもち、動詞の語根も文法の語形変化も類似しており、ゴート語やケルト語も、サンスクリット語と同じ起源らしい。古代ペルシア語も、これに加えることができよう」Asiatick Researches, 1, Calcutta & London, 1788, と言って、印欧比較言語学への道を開いた。マホメット法、ヒンディー法の著作のほか、ペルシア語文法（1771）、シャクンタラーの翻訳（1789）もある。

Jud, Jakob（ヤーコプ・ユート, 1882-1952）。スイスの言語学者。Zürich, Firenze, Paris で学ぶ。Karl Jaberg と共同し、言語地理学を研究。農業、手芸（handicraft）の用語に注目した。Sprach- und Sachatlas Italiens und der Südschweiz（8 vols. 1928-1940）. Zur Geschichte der bündnerromanischen Kirchensprache, 1919. 雑　誌 Vox Romanica, 叢書 Romanica helvetica を編集。『ルーマニア語辞典』『イタリア領スイス語』委員会の委員長だった。

Justi, Ferdinand（フェルディナント・ユスティ, 1837-1907）。ドイツの東洋語学者。Marburg 大学で比較文法とゲルマン文献学を教えた。イラン学を専攻し、ペルシア史、クルド語辞典を書いた。Iranisches Namenbuch（1895）, Geschichte des alten Persiens（1879）im Grundriss der iranischen Philologie（1896ff.）, Dictionnaire kurde-français（1879）, Egypt and Western Asia in Antiquity（1902）, Geschichte der orientalischen Völker im Altertum（1884）.

K（発音）。k の音はラテン語では c で書かれた。この伝統はイタリア語やフランス語でも続けられた。イタリア語で［k］の音を表すには chi, che が使われる。ca, chi, cu, che, co, フランス語では ca, qui, cu, que, co. 古代英語には k の文字はなく、ca, co, cu は［k］だが、ci は［či］, ce は［če］と発音された。cēpan（keep）は［ki:p］, cild は［čild］と発音された。Chaucer になると、kepe, child と現代語に近くなる。kennel, kettle では、ロマンス語起源であることが忘れられて k と書いている。king, keep, kin, kind, kine は前舌

母音の前でもkと書かれ、come, cowではゲルマン系なのに、cと書かれる。ドイツ語は19世紀まではLexicon, Concert, Clavier, classisch, Accentと書いたが、いまはLexikon, Konzert, Klavier, klassisch, Akzentと書く。英語knight, knave, knee, knead, knowのkは発音されないが、書く。同源のドイツ語Knecht, Knabe, Knie, knetenはkを書き、発音する。knowのドイツ語はkennenで、knの間にeが入った。英語back, deck, lackではckと書いてkと発音する。フランス語はqui, queと書いて [k] と発音する。

Karadžić, Vuk Stefanović（ヴーク・ステファノヴィッチ・カラジッチ, 1787-1864）。セルビア語と文字の改革者。民謡、民話、ことわざを収集した。J.B.Kopitar（1780-1844）の指導のもとに、アルファベットを改善し、500年続いたトルコ語からの解放に努め、セルビア語の文法と辞書を準備し、聖書を訳した。

Kimigayo（君が代；thy life）。Chamberlainを見よ。

Kirchhoff, Adolf（アードルフ・キルヒホフ, 1826-1908）。ドイツの文献学者、碑文研究者、言語学者。1867年、ベルリン大学古典文献学教授。Die umbrischen Sprachdenkmäler（1848-1851, with Theodor Aufrecht）, Die homerische Odysee und ihre Entstehung（1859）, Die Komposition der Odyssee（1869）, Das gotische Runenalphabet（2nd ed. 1852）, Studien zur Geschichte der griechischen Sprache（4th ed.1887）.

Knobloch, Johann（ヨーハン・クノープロッホ, 1919-2010）。ドイツ・ボン大学教授。一般言語学、印欧言語学、ジプシー語を教えた。筆者は1965-1967年、ラテン語の歴史、語と物（Wörter und Sachen）などの授業を受けた。Bonnの語源（ケルト語で村の意味）とかSprachbund（N.S.Trubetzkoy）を知った。Sprachwissenschaftliches Wörterbuch（Heidelberg, 1961-）の編者であったが、第1巻（A-E, 1986, vii, 895pp.）、第2巻（最初の2分冊, 1991）が出たところで中断した。日進月歩の言語学用語を解説し、記録す

るのであるから、編者の苦労は大変なものである。1960年、刊行予告は80頁の分冊を毎年発行し、10分冊で完成の予定だった。もともと Karl Brugmann の Wörterbuch der sprachwissenschaftlichen Terminologie に端を発し（cf.Germanisch-Romanische Monatsschrift 1, 1909, 209-223）、Wilhelm Havers と Leo Weisgerber に引き継がれ、ついで Weisgerber から Havers の弟子 J.Knobloch の手に移り、第1分冊が1961年に出たのだった。J.Kuryłowicz（Kraków）は第4分冊（1967）までを評して、ほかの言語学辞典に比べて、eine kurzgefasste Chrestomathie der Sprachwissenschaft und ihrer Geschichte を読んでいるみたいだ、と讚えた（1968）。本書の長所は用語の出典をできるかぎり明示している点である。例：Ergativ（能格）は F.N.Finck, Die Haupttypen des Sprachbaues（1909, 1936⁴）に由来し、R. Erckert（Die Sprachen des kaukasischen Sprachstammes, 1895）は Narrativ（物語格）と呼んでいる、と説明されている。このNarrativ という言い方は、グルジア語の文法用語 motxrobiti 'narrativ' に由来する。能格は他動詞の主語に用いられる格で、能格言語においては、"He stops the car" における he は能格に置かれ、the car は主格に置かれる（このことは、同じ能格言語、バスク語でも同じである）。"The car stops" のように自動詞の主語は主格に置かれる（バスク語も同じ）。Ergativ を Hugo Schuchardt は Aktiv（能動格）と呼んだ。コーカサス諸語、とりわけグルジア語に特有のこの格を Adolf Dirr が Einführung in das Studium der kaukasischen Sprachen（Leipzig, 1928）に用いて、定着した。1985年、65歳の記念に Sprachwissenschaftliche Forschungen（Innsbruck, 1985, 41 + 502pp.）を贈られた。門弟からの65編を収める。

Kobayashi, Hideo（小林英夫, 1903-1978）。日本の言語学者の中で小林英夫先生ほど敬愛されている人は少ないのではあるまいか。1926年12月24日、東京帝国大学言語学科に Le langage d'Ibsen, essai stylistique（イプセンの言語、文体論試論）の卒論を提出し、

無職のまま、1927年夏、ソシュールのCours de linguistique générale（1916）を訳出した『言語学原論』（岡書院, 1928, 20 + 572頁）は世界初のソシュール翻訳となる。『原論』は京城帝国大学（ソウル）文学部長の安倍能成に謹呈され、学習院大学文学部日本語日本文学科の図書室に所蔵される。岡書院の800部は完売に数年を要したが、1940年、版権が岩波書店に移り、順調に読者を獲得し、1972年、全面的な改訳を経て原題の『一般言語学講義』となり、今日に至る。

東京外事専門学校（東京外国語大学）のスペイン語科に入学したが、経済的事情で1年後に退学、法政大学仏文科の夜間部に入学、卒業後、東京大学で学ぶ。エリートコースの上田万年、藤岡勝二、新村出らと異なり、文部省留学生として欧米に学ぶ機会は与えられなかったが、小林英夫はヨーロッパの書物から旺盛な吸収力をもって言語学を学びとった。得意な外国語は仏、独、英、スペイン、ポルトガル（Camõesの翻訳, 1978）、イタリア、ラテン、ギリシア、ロシア語などである。デンマーク語、ノルウェー語もできる。

1929年、新村出の推薦で京城帝国大学に職を得て、矢継ぎ早に論文と翻訳が出版され、『言語学方法論考』（三省堂, 1935, xiv, 760頁、索引と著作目録27頁）を見ると、その足跡がひと目で見渡せる。ここに収められているのは1928年から1934年までの27編で、言語の本質と言語学の分科、象徴音の研究、文法学の原理的考察、意味論、比較言語学と方言学、言語美学、随筆、とバラエティに富む内容になっている。最後の随筆の中に吉兵衛物語というのがある。1932年、新婚の小林家に娘が生まれたので、お手伝いを雇うために職業紹介所を訪れた。紹介されたのはキチベーという朝鮮の娘で、キチベーは朝鮮語で「女の子」の意味である。12〜13歳で、月給は3円であった。彼女は無学だが、バカではない。小林は彼女から朝鮮語を、彼女は小林から日本語を

学んだ。

　この本はどこを読んでも、何度読んでも、面白い。同じく小論集『言語と文体』（三省堂, 1937, 506頁）も、何度も読んだ。泉井先生の本と一緒に、愛読書になっている。「芥川龍之介の筆癖」など50頁もの大作である。イェスペルセン著『人類と言語』の訳しぶりを評す、など徹底的である。盲目の斎藤百合子さんにエスペラント語を教えた話など、感動的である。Antoine Meilletはソシュールについて語る。彼は全く天才的な素質があった。驚くべく精密な技術家であり、その筆舌にのぼる言語は純正簡潔であり、彼の授業といえば、講義はさながら芸術品であると言っていいくらい芸術的であった。1889年、ソシュールはジュネーヴに去るにあたり、私（メイエ）に後任を託した。翌日から私は昨日までの学友の前に立って講義をしなければならぬことになった。開講第一の講義は、ほとんど、人が聞いて分からぬほど圧縮したものであった。1890-1891年にかけてソシュールはふたたびパリに講義に来た。私はウィーン（Indogermanische Sprachwissenschaft, 1891, の著者 Rudolf Meringer あり）とコーカサスに旅立った。アルメニア語を研究するためである。パリに帰ると、エコル・デ・オット・デ・ゼチュッド（高等学院）に職を得た。25歳であった。年俸2000フランであった。フレデリック・ルフェーヴルとの対話。Meilletの著作にAltarmenisches Elementarbuch（Heidelberg, 1913, reprint 1980）がある。これはHeidelbergのCarl Winter社から出ていた叢書Indogermanische Bibliothekのために W.Streitberg がメイエに執筆を依頼したものである。

　小林英夫はソシュールのほかに、Charles Bally, Henri Frei, Louis Hjelmslev, Karl Vossler, Leo Spitzerの翻訳がある。Bally, Croce, Vossler, Spitzerの理論をもとに言語美学（linguistica estètica）を創造し、芥川龍之介、島崎藤村、志賀直哉、岡本かの子、石川啄木、森鷗外、堀辰雄の文体を分析した。小林英夫の三番目の貢献は日

本ロマンス学会の創設（1967）である。東京工業大学教授（1949-1963）のあと、早稲田大学教授（1963-1973）としてラテン語、イタリア語の若い学者を育てた。『小林英夫著作集』10巻，1975-1977がみすず書房から出ている。

小林英夫は1945年8月，Seoulから引き上げの際、図書をすべておきざりにせねばならなかった。東京に引き上げてから、神田の古本街で、自分が書いた本は、かなり買い戻すことができたようである。若いときから手掛けていたCamõesのOs Lusíadas（1572）の翻訳が1978年、小林英夫・池上岑夫、岡村多希子訳『ウズ・ルジアダス（ルシタニアの人々）』岩波書店，1978，596頁，5000円として出た。小林英夫は、あとがき1978.6.6.を書くことができ、校正も読むことができた。製本が出来上がる前に、1978年10月5日に亡くなった。[2008]（下宮『アグネーテと人魚、ジプシー語案内ほか』近代文藝社2011, p.151-152）

Kopitar, Bartholomäus（Jerney Bartel）（バルトロメウス・コピタル；イェルネイ・バルテル，1780-1844）。スロベニアの言語学者、文献学者。LjubljanaとWienで学ぶ。Wienの宮廷図書館で司書をしているとき、Parisに出張して、Napoleonが持ち帰った写本をWienに運んだ。Grammatik der slavischen Sprache in Krain, Kärnten und Steiermark（1808）, Glagolita Clozianus（1836；ギリシア語原典、キリル文字転写、ラテン語訳、注解）。

Körting, Gustav（グスターフ・ケルティング，1845-1913）。ドイツの言語学者、文献学者。1876年、Münster Academy教授、1892年、Kiel大学教授。Lateinisch-romanisches Wörterbuch（1890）を出版したが、のちにFriedrich Diez, さらにのちにW. Meyer-Lübkeがこれに代わる。Encyklopädie und Methodologie der romanischen Philologie（3 vols. with supplement 1884）, Encyclopädie und Methodologie der englischen Philologie（1888）, Neugriechisch und Romanisch, ein Beitrag zur Sprachvergleichung（1896）。

Krause, Wolfgang（ヴォルフガング・クラウゼ, 1895-1970）。ドイツの言語学者、文献学者、ルーン文字専門家。Berlin, Göttingen 大学で U.von Wilamowitz-Möllendorff, J.Wackernagel, H. Oldenberg, W.Schulze, E.Hermann, J.Pokorny のもとで，古典文献学、印欧言語学を研究。1929年、Königsberg 大学で印欧言語学教授、1937年、Göttingen 大学印欧言語学教授。1926-1936年、スカンジナビアを旅し、ルーン文字の資料を収集。ケルト語、古代ノルド語、ゴート語、トカラ語を研究。Das irische Volk（1940），Abriss der altwestnordischen Grammatik（1948），Handbuch des Gotischen（1953），Westtocharische Grammatik Bd.1（1952），Tocharisches Elementarbuch（2 Bde. 1960-1964, with Werner Thomas），Die Runen（1970）.

Kretschmer, Paul（パウル・クレッチマー, 1866-1956）。ドイツの言語学者。ギリシア語、印欧諸語の中のギリシア語、の専門家だった。古代バルカン諸語（トラキア語、イリュリア語、マケドニア語）、アナトリア語（リュディア語、リュキア語、カーリア語、プリュギア語）を研究。1907年、ギリシア語、ラテン語研究のための雑誌 Glotta を創刊。主著 Einleitung in die Geschichte der griechischen Sprache（1896, 1972^2, 4 + 428pp.），Neugriechische Märchen（1917），Die indogermanische Sprachwissenschaft, eine Einführung für die Schule.（1925；高谷信一訳『印欧言語学序説』三省堂, 1942, v + 115pp.）

Kruševskij, Nikolaj Vjačeslavič（ポーランド語表記 Mikołaj Kruszewski, 1851-1887）。ポーランドの言語学者。Baudouin de Courtenay とともに（ソシュールの）音韻論の開発者。Očerk nauki o jazyke（1883, An Outline of the Science of Language）. Jan Baudouin de Courtenay を含めカザン学派と呼ばれる。Kruszewski, A Paradigm Lost. The Theory of M.K. by Joanna Radwanka Williams. Amsterdam 1993.

Kuhn, Franz Felix Adalbert（アダルベルト・クーン, 1812-1881）。

ドイツの言語学者、神話学者。1833-1836年、ベルリンでギリシ
ア語、サンスクリット語を専攻。印欧語の詩的表現「不朽の名
誉」ギkléwos áphthiton, ヴェーダ語áksiti śrávasを発見した。比較
言語学の最初の雑誌Zeitschrift für vergleichende Sprachforschung
auf dem Gebiete der indogermanischen Sprachen（Göttingen, 1852）
を創刊（Bd.101, Göttingen, 1988よりHistorische Sprachforschungと
改称）。Grimmの影響でフォークロアの重要な著書も出版した。

Kurschat, Friedrich（フリードリッヒ・クールシャト, 1806-1884）。
リトアニアの言語学者。いままではほとんど研究されていなかった
母国語、リトアニア語と取り組みWörterbuch der littauischen
Sprache, Deutsch-littauisches Wörterbuch（2 vols. 1870-1874）, Lit-
tauisch-Deutsches Wörterbuch（1883）, Grammatik der littauischen
Sprache（1876）を執筆、出版した。

Kuryłowicz, Jerzy（イェージー・クルィローヴィチ, 1895-1978）。
ポーランドの生んだ最大の言語学者の一人。ヨーロッパ機能的構
造主義（プラーグ学派的）の学者であった。集大成のEsquisses
linguistiques 第1巻（初版Wrocław/Kraków, 1960, 298pp.）、第2巻
1975, 483pp. München.

L（文字）。lは硬口蓋（palatal）のlと軟口蓋（velar）のłがある。
英語にはlily, lipのpalatalなlとpill, gold, mildのvelarなlがあるが、
これらの2種のlは音素（phoneme）の機能はなく、位置の相違に
よる。語末ではllと書かれる（bill, mill, pill）。フランス語、スペ
イン語、イタリア語にはvelar lは存在しない。イタリア語figlio
（フィーリョ；息子）、ポルトガル語filho（フィーリョ；息子）、
スペイン語castillo（カスティーリョ；城）のlは硬口蓋のl（明る
いl）。ロシア語はbyt［ブイト］「生活、風俗」とbyt'［ブイチ］ "to
be" を区別する。lは有声（voiced）で、無声の（voiceless）はhl-
で表記される。古代英語hláf「パン；loaf」、アイスランド語hljóð
「音；ドLaut, エloud」。lとrは音位転換（metathesis）が起こった

り、dになったりする。ラテン語miraculum（奇跡）がスペイン語milagroになり、ラテン語peregrīnus（野原を行く人）がイタリア語pellegrino（巡礼者）になる。

Lachmann, Karl Konrad Friedrich Wilhelm（カール・ラッハマン，1793-1851）。ドイツの文献学者。プロシア戦争のとき、義勇軍としてナポレオンに反対して戦った。1818-1824年、Königsberg大学教授、1825年以後、Berlin大学教授。textual criticism（原典批評）の先駆者。**Lachmann**の法則：ラテン語agō→āctus, tangō→tāctus, regō→rēctusにおける母音の長音化は有声音が無清音になる際にgの有声（voiced）が母音を長音化させる。この法則はラテン語からロマンス諸語にいたる過程でも適用される。

Ladin（ラディン語）。latinusが語源で、ドイツ語、フランス語、イタリア語についで、スイスの第4言語として、スイスChurの奥地、イタリアの南チロル、Alto Adige, Dolomiti（白雲石山脈）に1万人に話される。Romanche（ロマンシュ語）のほうがよく用いられる。（Romanche下宮「言語と民話」2021を見よ）

Lahndā（or western Pañjabī）。ランダー語。インドのインダス谷、西パンジャブ地方に700万人に話される。G.A.Griersonは母音a, ā, â, e, ē, ĕ, i, ī, o, ō, ŏ, u, ūを区別している。ランダー語の名詞は中性がない（疑問代名詞whatはある）。名詞は主格、行為者格（agent）、位格（locative；instrumentalにも用いられる）がある。属格は形容詞と同じ語尾をしている。

language（言語）。languageは三つの意味に使われる。（1）公用語（official language）。これは方言に対してである。（2）方言を含めた言語。（3）自己を表現できる能力。

　言語は思考を表現する音の体系である（Saussure）。言語は表現の手段であると定義したのはイタリアの哲学者クローチェ（Benedetto Croce）だった。そして、言語は日々創造される（il linguaggio è una creazione perpetua）。

言語の不規則性。複数なのに単数形が用いられる（people, po-
lice）。現在なのに過去が用いられる（if he came）。過去なのに現
在が用いられる（praesens historicum）。現在なのに未来形が用い
られる（praesens historicum）。現在なのに未来形が用いられる
（イタリア語 sarà「そうだね」）。ラテン語 homo はロマンス諸語に
よく保たれており、形容詞 grandis（大きい）も同様だが、parvus
（小さい）はイタリア語 piccolo、スペイン語 pequeño、フランス語
petit のように不統一である。ラテン語 puer（少年）はイタリア語
ragazzo、スペイン語 muchacho, ポルトガル語 rapaz、フランス語
garçon（ゲルマン語より）のように不統一。ゲルマン諸語では
man はみな同じなのに、boy や child は非常に異なっている（ド
Junge［原義：若者］）。child のド Kind（*gen-tó-生まれた者）。
during は前置詞になっているが、during the war は the war during,
while the war was during（戦争が続いている間）が前置詞になっ
たものである。イタリア語 cassa（箱）の指示形 casetto（小箱）
は日本語「カセット」（録音テープ）になった。casino「小さな
家」は「賭博場」になり、日本語にも入った。

languages of the world（世界の言語）。は、通常、語族（family of
languages）に分けられる。Indo-European, Semitic, Uralic, Turkic
（チュルク諸語；Turkish はその代表）など。植民以前のアメリカ
は American Indian と総称し、その系統と分類は、容易ではない。
日本語は（特徴が朝鮮語と共通する点はあるが）系統不明である。
ゲルマン諸語に関して **Feist-Meillet-Karsten thesis** がある。これ
はゲルマン祖語（Proto-Germanic）が non-Indo-European で、彼ら
は印欧語以外の言語を話していたが、印欧語民族と接触している
間に印欧語化した（Indo-Europeanized）と考える。Torsten Evert
Karsten（1870-1942）は Helsingfors 大学教授。

Lanman, Charles Rockwell（チャールズ・ロックウェル・ランマ
ン, 1850-1941）。アメリカのインド語学者。1873-1876年、ドイツ

で研究。1876-1880年、Johns Hopkins大学でサンスクリット語を教え、1880年、Harvard大学サンスクリット語教授。A Sanskrit Reader（1880）のほか、Harvard Oriental Seriesを創設した。

Latin（ラテン語）。古代ローマの言語であるが、ロマンス諸語のほか、中世ヨーロッパに広く伝播し、ゲルマン諸語、スラヴ語域（ルーマニア語）にも浸透した。ad-capio（capio "take"）が語頭のアクセントのために áccipio "receive" となった。印欧語の *g^{w}h, *gh, *dh, *bhがg, d, bになった。語頭の *gw- がラテン語ではwになった（venio, ゴート語 qiman, 英語 come, ドイツ語 kommen）。動詞はinfectum（不完了）とperfectum（完了）が対立し、fac-（作る）、fēc-（作った）となった。受動態-r（amor "I am loved"）はsequor "follow"（フ suivre）にも見える。Cicero時代（紀元前106-43）のラテン語のアルファベットはa, b, c, d, e, f, g, h, i, k, l, m, n, o, p, q, r, s, t, v, xの21文字だった。便宜上小文字で書いたが、すべて大文字であった。Augustus（紀元前63年から紀元後14年）にギリシア語を転写する必要上yとzが導入された。iとuは母音としても子音としても用いられた。iuuenis=juvenis. ワインはギリシア発（oinos＜woinos）だが、ラテン語 vīnum（ウィーヌム）を通して全ヨーロッパに、アメリカに、日本にも広まった。嗜好品は国境を越えて、全世界に広まる。コーヒーはアラビア語から。

learned words（or bookwords 学術語）。vocabulary（word-book），dictionary（word-book）は学術語だが、日常語になった。ドイツ語Wörterbuch（words-book）は、J.Grimmによると、1729年、低地ドイツ語woordenboek（オランダ語と同じ）の辞書に用いられ、スウェーデン語ordbok ウードブークになり、フィンランド語 sana-kirja（sana サナ word, kirja キルヤ book）「辞書」となった。ロシア語 slovar' スラワーリは slovo スローヴォ 'word' の集合名詞。

Lechic（レヒ語）。西スラヴ諸語（ポーランド語、カシューブ語、スロヴィンツ語）の総称。tret, tlet ＞ tert, telt. 鼻母音が残る。

Leite de Vasconcellos, José（ジョゼ・レイテ・デ・バスコンセーリョス, 1858-1941）。ポルトガルの言語学者。Lisbon大学で言語学の教授。考古学、民俗学、フォークロア、言語学、文学に関心と知識が深く、O archeologo portughese, Revista lusitanaを編集。Tradições populares de Portugal（1882）, Religiões da Lusitania（1897-1913）など。

Lemnian（レムノス語）。ギリシアのレムノス（Lemnos）島で発見された2個の碑文の言語。前6世紀、ギリシア文字で記されているが、まだ解読されていない。エトルリア語に似た単語が見られる。

Lepontic（レポント語）。北イタリアのレポント・アルプスLepontine Alpsで発見された80個の碑文の言語。Krasani-kna, Meteli-knaの-knaはガリア語のTruti-knos（*gena-「…の子供」）を思わせる。Lepontoアルプスはラゴ・マジョーレLago Maggiore, ルガノ湖Lago di Lugano付近で発見された。Lepontiiはケルト・リグリア系民族。Sapustai-peの-peはギリシア語-te, ラテン語-que.

Lepsius, Karl Richard（カール・リヒャルト・レプシウス, 1810-1884）。ドイツの言語学者。Denkmäler aus Ägypten und Äthiopien（1849-1859）; Nubische Grammatik（1890）.

Leskien, August（アウグスト・レスキーン, 1840-1916）。ドイツの言語学者。1869年、A.Schleicherのあとを継いでGöttingen大学教授、のちLeipzig大学教授。Die Deklination im Slavisch Litauischen und Germanischen（1876）. Handbuch der altbulgarischen（altkirchenslavischen）Sprache（1871）.『古代ブルガリア語（古代教会スラヴ語）ハンドブック』は初版1871, 第8版1962（364頁）は100年以上も欧米の教科書として使われてきた。1-177文法、178-261テキスト、語彙265-351, 文献補遺352-355, 変化表356-362, Syntax補遺175-177, p.364.

Lettish or Latvian（ラトビア語）。バルト諸語（Lithuanianとともに

に）の一つで、リトアニア語のほうが古形を保っている。ラトビア語はドイツ語の影響でアクセントが語頭にくる。アクセントが語頭に来たため、語尾が弱化した。リトアニア語の si, zi（palatalized s, z）がラトビア語 š, ž となった。第一次世界大戦後、ラトビアは独立国となった。

Leumann, Ernst（エルンスト・ロイマン, 1859-1931）。スイスの言語学者、文献学者。1884-1918年、Strassburg 大学、1919 以後 Freiburg 大学教授。Turfan で発見された仏教文学 Buddhistische Literatur; nordarisch und deutsch（1920）, Maitreyasamiti, das Zukunftsideal der Buddhisten; die nordarische Schilderungen in Text und Übersetzung, mit einer Begründung der indogermanischen Metrik（1919）, Das nordarische（sakische）Lehrgedicht des Buddhismus（published in 1933-1936 by his son Manu Leumann）.

Leumann, Manu（マヌ・ロイマン, 1889-1977）。スイスの言語学者。Ernst Neumann（上記）の息子。1927年、Zürich 大学教授。Sakische Handschriftproben（1934）. Homerische Wörter（1950）. ラテン語の文法で有名な Stolz und Schmalz の改訂（with J.B. Hofmann）。

Lévi, Sylvain（シルヴァン・レヴィ, 1863-1935）。フランスのインド学者。インド文学と宗教。Le théâtre indien(1890), Le Népal(3 vols. 1905-1908), Un système de philosophie bouddhique（2 vols.1907-1911）. Sanskrit, Pāli, Tibetan を完全に知っており、中国語、日本語もできた。

Lévy, Emil（エミール・レヴィ, 1855-1917）。ドイツの言語学者。Provence 語が専門。Heidelberg, Berlin で Adolf Tobler のもとで研究。1883年、Freiburg 大学教授。すべてのロマンス語に通じていたが、研究はプロヴァンスの言語と文学に集中した。

Lewy, Ernst（エルンスト・レーヴィ, 1881-1966）。ドイツの言語学者。Leipzig で Eduard Sievers, Berlin で Wilhelm Schulze, F.N.

Finck のもとで研究。チェレミス語文法（1922）、モルドウィン童話（1931）；Der Bau der europäischen Sprachen（Dublin 1942; 第二次世界大戦中、ナチスの迫害を追われ、Dublin に逃れた；第Ⅱ版 Tübingen, 1964, 108pp.）は18のヨーロッパ諸語を地理的・類型的に五つの地域 atlantisch, central, balkanisch, östlich, arktisch に分ける。ラテン語capitis（頭の）とフランス語de la tête を比べると、ラテン語は概念（頭）・類（文法性）・格（属格）の三つの要素が総合的に表現されているのに対し、フランス語ではそれぞれが別々に表現されている。これをLewyは屈折孤立化と呼び、ヨーロッパ言語史、すなわち、ヨーロッパ精神史（europäische Geistesgeschichte）にとって重要な考え方であるとしている。ドイツ語des Kopfes においては属格が冠詞と名詞の両方に繰り返されている点で、屈折語（flektierende Sprache）の特徴を示し、ラテン語とフランス語の中間状態にある。一方、英語of the head はフランス語の類（名詞類Nominalklasse すなわち文法性）がなくなっており、文法形式の単純化がさらに進んでいる。英語やフランス語のような表現形式は、多かれ少なかれ、近代ヨーロッパ諸語に見られ、とくに大西洋地域（atlantisches Gebiet）に顕著である。英語 the King of England's Palace（英国王の宮殿）、the man I saw yesterday's house（私が昨日会った人の家）の所有の-s に見られる。Lewyは言う。ヨーロッパの歴史はヨーロッパ印欧語化の歴史である（Die Geschichte Europas ist die Geschichte seiner Indogermanisierung Europas, §369）と。印欧語化はヨーロッパの各地で起こる。その原因はラテン語とキリスト教の普及である。1966年、この本を携えてボン大学を歩いていると、ドイツ人の友人が、著者 Lewy を見てユダヤ人だな、と言った。Kleine Schriften, Berlin 1961.

lexicography（辞書編集学）。The Oxford English Dictionary は 41500語を収容し、Funk and Wagnall's Dictionary は45万語を、

Webster's New International Dictionary は55万語を収める。しかし日常生活で用いられる語彙は、ずっと少ない。新聞は3000語か4000語で読めるし、2万語以上を用いる作家は少ない。フランスの Académie Française の辞書は3万語で、ずっと実用的だ。Grimm 兄弟のドイツ語辞典 Deutsches Wörterbuch は第1巻Aから Biermolke までとB,C,E,F も Jacob, D は Wilhelm. 兄弟没後多数の専門家により32巻が1961年に完成し、1985年 Grimm 兄弟生誕200年記念出版33巻（第33巻は資料出典）。その改訂版が1983年以後、Berlin-Göttingen の2チームにより続けられる。

ラテン語など、死語の辞書は thesaurus（treasure）と呼ばれる。Thesaurus linguae latinae（E. Wölfflin, 1900-）はいまも進行中である。ギリシア語 Thesaurus linguae graecae（1572）は Henry Stephanus により完成され、何版も出版された。それをも含めたギリシア語・英語辞典 Greek-English Lexicon が H.G.Liddell と R.Scott により1940年に完成した。中世ラテン語は Du Cange の Glossarium ad scriptores mediae et infimae latinitatis（1678）がある。対訳辞典（bilingual dictionary）の初期のものに A World of Words（English-Italian, 1598）by John Florio がある（著者は Montaigne の訳者）。その新版は Queen Anna's New World of Words と書名を変えて、1559年、1687-1688年に出版された。この辞書は Shakespeare の作品も入れている。

辞書編纂は concordance 編纂につながる。これは作品に用いられた単語をすべてアルファベット順に配列し、その引用個所を明示する。古くは聖書のテキストに始まり、ギリシア、ローマの作家、Shakespeare, Goethe の作品が続く。この分野ではアメリカの学者が鋭意活躍中である。この項目を書いた Bonfante は、本当にすごい。上記は6分の1の縮訳である（Grimm は下宮補）。

Ligurian（リグリア語）。古代リグリア人の言語。リグリア人の居住地域はイタリアの北西部、Liguria, Piemonte, Lombardia とフ

ランスの南東部である。Rhône川はリグリア人とイベリア人の境界であり、Arno川はリグリア人とエトルリア人の境界である。地名語尾 -sco は Bergamasco, Monegasco に見られ、Bergamo, Monaco と区別される。D'Arbois de Jubainville はこの地名をイタリア北東に24個（その20個はローヌ谷）、20個は Corsica に（西暦1世紀の Seneca）、12個はイベリア半島に発見した。ほかに -asco, -asca が地名 Neviasca, Tudelasca, Veraglasca, Vinelasca に見られる。単語 atrusca, labrusca（イタリア語 lambrusca）, asinusca, rubusculus がラテン語に進入し、直接、ロマンス諸語にも入っている。

Lindsay, Wallace Martin（ウォラス・マーティン・リンゼイ, 1858-1937）。英国の言語学者、文献学者。1880-1899年、Oxford 大学でラテン語を教えた。The Latin Language（1894）があり、A Short Historical Latin Grammar（1895, 1915²）は224頁、iter, itineris, volo, vis, vult, lego, legis, legit, magnificus, magnificentior, circum, by-form circa などの不規則を説明する。

lingua franca① （リングワ・フランカ；**sabir** とも呼ぶ）。地中海地域に通商に用いられる混成語。アラビア人、トルコ人との交渉に用いられ、アラビア語では lisān alifranĝ と呼ばれる。アラビア語 usif（黒人奴隷）, bezef （"much"）, rubié "spring", rai "shepherd", mabul "crazy". 人称語尾の変化をさせず、不定詞と用いて、mi mangiar "I eat", mi andar "I go", 過去は過去分詞を用いて mi andato "I have gone", mi sentito "I have understood" としたり、bisogno "it is necessary", 名詞の複数形を単数の意味に用い、あるいは逆に、detti "finger", genti "man", sordi "money". 対格は前置詞 per を用いて mi mirato per ti "I have seen you". 動詞 "to be" は star （questo star falso これは間違っている）, no star tardi （遅くなはい）, mi star morto （おれは死にそうだ）などと言う。

lingua franca② （リンガ・フランカ）。通商語、共通語。多様な言語が行われる地域で、伝達に便利なように、共通に用いられる

言語。中世ヨーロッパで広く行われたラテン語、アフリカ東部地域で話されるスワヒリ語、イスラム地域で広く用いられるアラビア語などを指す。現代のヨーロッパで英語が最も広く共通語としての役割を果たしているのと同じである。lingua francaはイタリア語で「フランク人（ドイツ人）の言語」の意味だが、langue française「フランス語」の意味で使われる。

linguistic alliance（言語連合；ドイツ語Sprachbund, イタリア語 lega linguistica）。英語とフランス語、フランス語とドイツ語は、起源が異なるが、隣接状態（adstratum）のために、影響しあう。英語I have writtenはフランス語j'ai écrit, またドイツ語ich habe geschriebenはフランス語j'ai écritを模倣し、現在完了の用法を拡充させた。I have a bookやich habe ein Buchの不定冠詞の発達も、フランス語j'ai un livreの書き方を模倣したものである。N.S. Trubetzkoy（1928）の用語で、バルカン諸語の言語連合（balkanischer Sprachbund）はブルガリア、アルバニア、ルーマニア、ギリシアに見られ、不定詞の消失、後置定冠詞（postposed article）が共通に見られる。ブルガリア語žena-ta "the woman", アルバニア語mik-u "the friend", ルーマニア語amic-ul "the friend".

linguistic evolution（言語の発達）。ラテン語amāverōのような単純形が英語I will have lovedのように4語（フランス語はj'aurai aiméで2語）で表現されるのは言語の堕落（decay of language, Max Müller）と呼んだが、デンマーク、コペンハーゲン大学の英語学教授Otto Jespersenイェスペルセンは逆に進歩progressと呼んだ（Progress in language, 1894）。その理由は次の6点である。

1. 語形が短い。筋肉の運動が短く、発音の時間が短くなる。
2. 記憶の負担が小さくなる。
3. 単語の形（変化形）が規則的である。
4. 統辞法（syntax）が、より少なくなる。
5. 分析的な表現法が表現をより豊かにする。

6. 繰り返される文法の一致（ラ bonus filius, bona filia）が不要になる（superfluous）。

　ロシアの言語学者 Roman Jakobson は言う。英語は my friend だが、ロシア語は友人が男 moj drug か女 moja podrúga かを言わねばならず、ドイツ語も mein Feund か meine Freundin だ。フランス語は mon ami, mon amie で、会話では、発音の区別がつかない。

linguistic family（語族）。言語は語族で分類される。印欧語族、セム語族、ウラル語族など。北アメリカも、南アメリカもアメリカン・インディアン諸語（American Indian languages）と総括されて、部分的に語族に分けられるが、印欧語族のようには分類されていない。日本語はアルタイ諸語の中に入れられるが、日本語と朝鮮語の関係さえも、まだ、系譜関係（genetic relationship）が確立していない。英語は mixed language と呼ばれる。英語の中に大量のフランス語が 1066 年以後、流入したからだ。I worked は英語だが、The workers labored と言えば動詞はラテン系である。

linguistic geography（言語地理学）。言語とその話される地域は国境と一致しない。Dante の De vulgari eloquentia（1302-1305 ごろ）は、すでにイタリア語の方言を分析している。言語地理学の創始者はフランス・スイスの Jules Gilliéron（1854-1926）である。その Atlas linguistique de la France（1902）は、諸国の言語地図の模範となり、イタリア、カタロニア、ルーマニア、デンマーク、アメリカの地図が作られた。ジリエロンの言語地理学はイタリアの Matteo Bàrtoli, Giulio Bertoni の neolinguistics を生んだ。

linguistics（言語学）。近代言語学はイギリスの Sir William Jones のサンスクリット語、ギリシア語、ラテン語の文法変化の類似の発見（1786）に始まる。Franz Bopp, Karl Brugmann らによって印欧語比較文法が完成された。20 世紀になってソシュール（1916）は言語の構造を重視した。p は b と対立（pill：bill）、p は t, k と対立（pill：till：kill）、p は m と対立（pill：mill）、n と対立

（pill：nil）、rと対立する（pill：rill）。ゼロと対立すればpill：ill
となる。これらをTrubetzkoyは音韻論的対立（phonologische Ge-
gensätze, oppositions phonologiques）と呼んだ。数（number）に関
しては、印欧諸語は単数、双数、複数を区別するが、日本語は
「2冊の本」two books,「2軒の家」two houses,「2人の子供」two
childrenのように名詞は同じだが、分類辞（classifier）が異なる。
（下宮補）

Lithuanian（リトアニア語）。印欧語族の中のバルト語派の一つ。
リトアニア共和国内の300万人に話される。その他、アメリカに
40万人のリトアニア系住民がいる。古い語形がよく保存されて
いて、印欧祖語に近い様相を示し、印欧語比較文法に重要な資料
を提供する。acutus, gravis, circumflexusの3種のアクセントをも
ち、ロシア語のアクセントと同様、複雑に移動する。格は七つあ
り、男性、女性（中性は消失）の文法性がある。výras（ヴィー
ラス：夫、男）の呼格výreの-eはラテン語domine!（主よ）の-e
と一致する。

Littré, Maximilien Paul Emile（エミール・リットレ, 1801-1881）。
フランスの作家、文献学者。1839年、Académie des Inscriptionsに
選出された。Dictionnaire de la langue française（Paris 1863-1872, 4
vols. supplements 1878）に大部分の勢力を注いだ。ダンテのInfer-
noを古代フランス語に訳した。

Luwian（ルーウィ語）。紀元前2千年紀の後半にアナトリア南部
で話されていた印欧語。ヒッタイト帝国の首都Hattushashハッ
トゥッサ（トルコのBoghasköy「山の峠」）の文書庫で発見された。
ルーウィ語はヒッタイト語に近い。

Lycian（リュキア語）。アナトリアの強大なリュキア人の言語で、
ホメロスの「イリアス」で大きな役割を演じている。199個の人
名、地名に残る。19世紀に発見された。cbatra "daughter", miñti
"mind", ter "hand"（ギリシア語kheír）、数詞tbi "two", tri- "three",

kadr "four", setteri "seven", aitāta "80". リュキア語はsatem語である
らしい（ヒッタイト語と同様）。リュキア語sñta（ラテン語 cen-
tum）、tasñ（?）（ラテン語 decem)、esbe（ラテン語 equos)、ギリシ
ア語完了1人称単数-ka.

Lydian（リュディア語）。アナトリア（現在トルコ）諸語の一つ。
小アジア西部海岸の古代国 Lydia（首都 Sardes）の言語。資料は
100個ほどの墓碑銘、貨幣の刻銘（前5~4世紀）で、taada-（父）、
ena-（母）、esa-（孫、子孫）など、前2者は Lycian に似ている。

M（文字）。唇音 p,b,mの一員として安定しているが、ラテン語の
語尾 sum, tum がnになったり、消えたりする。フランス語 compte
（計算)、comte（伯爵）は conte（物語）と同じ音になる。

Macedonian（Ancient)。古代マケドニア語。アレクサンダー大
王（前356-323）の言語で、ギリシア語から大きな影響を受け、
ギリシア語化した。固有名詞と約140個の語彙に伝えられる。マ
ケドニアは「高地、台地」の意味。印欧語根 *mak-（cf.macro-)。
ポリュビオス Polybios の歴史は、ギリシア語とイリュリア語は非
常に異なるので、通訳なしには相手が理解できない、と述べてい
る。

Macedonian（Modern) 現代マケドニア語。南スラヴ語の一つで、
ブルガリア語に近い。1943年、マケドニア共和国の公用語とし
て承認された。マケドニアのほか、ブルガリア、ギリシア、アル
バニアの一部に130万人に話される。教会スラヴ語のǫがaとな
る。rǫka「手」、pǫt'「道」が raka, pat となる。また、アルメニア
語と同じく定・近・遠の3種の後置定冠詞がある。kniga-ta "the
book", kniga-va "the book here", kniga-na "the book overthere".

Marathi（Marāṭhī, Mahrāthī, マラティー語）。インド最南端の言語
で2700万人に話される。その位置から、と政治的自立から、近
代インド語の中では中央部からの改新（innovation）を逃れてき
た。ペルシア語、アラビア語からの借用語が少ない。中性単数主

格 -am （＜ -um）、所有代名詞 mahāra, tuhāra, amhāra, tohāra, 2 人称単数 -ahi（＜ -asi）、複数 -ahu（-aha）．ドラビダ語の影響がみられる。

Marstrander, Carl（カール・マルストランデル, 1883-1965）。ノルウェーの言語学者、ケルト語学者。1907 年 Ireland で、1919-1922 年 Bretagne で、1929-1932 年 Isle of Man でフィールドワークを行った。1908 年 Irish School of Learning（Dublin）教授。1909 年雑誌 Eriu を創刊、Irish Royal Academy の Irish Dictionary 編集。1913 年 Oslo 大学の professor of Celtic languages. 1928 年 Norsk Tidsskrift for Sprogvidenskap を創刊。

Martinet, André（アンドレ・マルティネ, 1908-1999）。フランスの言語学者。ヨーロッパ構造言語学の完成者と呼ばれる。第二次世界大戦前のプラーグ学派の最後のメンバーと称され、1947-1955 年アメリカ Columbia 大学の一般言語学教授、1955 年以後 Paris 大学（Sorbonne 大学）一般言語学教授。ヨーロッパの構造言語学とアメリカの構造言語学から吸い上げて、巧みに、一本にまとめあげた Éléments de linguistique générale（Paris, 1960, 1986[9]；224pp. 三宅徳嘉訳『一般言語学要理』岩波書店、1972, 14 + 325 頁。これは Martinet が 1958-1959 年度に Sorbonne 大学で行った一般言語学の講義を 1 冊の本にまとめたものである。Saussure の場合と異なり、講義録を自分で出版できたのは、幸いであった。

　次の 6 章からなる。第 1 章：言語学、言語活動および言語；第 2 章：言語の記述；第 3 章：音韻分析（音要素の機能、音素論、韻律論、境目をつける、音韻単位の利用）；第 4 章：表意単位（言表の分析、記号素の階序、拡張、合成と派生、記号素の類別）；第 5 章：特有言語と言語慣用との多彩；第 6 章：言語の進化（社会変化と言語変化、言語の経済、情報、頻度および費用、単位の質、音韻体系の力学。Martinet は人間の言語を他のあらゆるコミュニケーションの体系（モールス信号、交通標識、地図上の山・川・鉄道など）から区別する特徴を人間言語の二重分節性

（la double articulation du langage）に見る。この考えは最初L. Hjelmslevの生誕50年に捧げられた記念論文集Recherches structurales, Travaux du Cercle Linguistique de Copenhague 5, 1949に発表された。たとえば、「私は頭が痛い」のフランス語j'ai mal à la têteは、je, ai, mal, à, la, têteという6個の意味を担う最小の単位（unités significatives minimales）である記号素（monèmes）に分析される。このような記号素への分析を第一次分節（première articulation）を音素（phonème）に分析することを第二次分節（deuxième articulation）という。その際、tête（頭）のような記号素は、これをさらにtêとteに分析することはできない。なぜなら、このtêやteは何の意味内容を担っていないから。次に、このtêteをtètと表記して考えると、/t/ や /è/ や /t/ は、それ自体は意味をもっていないが、/bèt/（bête獣）、/tāt/（tante おば）、/tèr/（terre土地）などと区別する働きをもつ。

このように、発話は第一次段階で少数の記号素に分析され、第二段階で記号素が少数の音素に分析される。逆に言えば、言語によりその数は異なるが、通常20ないし40の音素が数百から数千の記号素を作り、それらが無数の文を作る。これを言語の二重分節（double articulation）と呼ぶ。これが人間言語の最大の特徴である。

この記号素は語（mot）とは異なる。フランス語travaillons（われわれは働く）という語の中にtravaill- /travaj/ と -ons /õ/ という2個の記号素がある。伝統的にはtravaill- を意義素（sémantème）と呼び、後者-onsを形態素と呼ぶが、それは意義素だけが意味を担い、形態素は意味をもたないような感を与えるので不正確である。記号素を区別する必要がある場合には、travaill-のほうを語彙素（lexème）、-onsのほうのみを形態素（morphème）と呼ぶのがよい。travaill-は、不定詞語尾-erを付してtravaillerの形で辞書に登録され、-onsのような形態素は文法の中で取り扱われる。第6章

は通時言語学（diachronic linguistics）に相当する部分であるが、従来のものに比べて、取り扱い方が非常に異なっている。Bloomfieldのような包括さはない。音韻変化、文法変化、語彙変化、意味変化という類のものではなく、言語変化の原理の諸相を述べたものである。通時言語学の概念である分枝と収束（divergence and convergence）は第5章で扱われている。Martinet は Roman Jakobson と並んで、音韻変化に構造的な原理を見出した最初の学者であった。この通時音韻論の集大成が Martinet, Économie des changements phonétiques. Traité de phonologie diachronique（1955）であり、共時言語学の論文集が La linguistique synchronique（1965, 1970³）であり、ほかに A Functional View of Language（1962）がある。

Meillet, Antoine（アントワーヌ・メイエ, 1866-1936）。フランスの言語学者。フランスの 'sociological' linguistic school を代表した。言語と社会の関係を重視した言語史は Esquisse d'une histoire de la langue latine（1928）に見られる。Meillet の有名な言葉に une langue constitue un système où tout se tient（言語は、すべてがかかわりあっている表現手段の体系である）がある。主著 Introduction à l'étude comparative des langues indo-européennes（Paris, 1903, 1937⁸）, Paris, 14 + 516pp. を泉井久之助は3冊読みつぶし、4冊目を読んでいる、と書いている。Meillet を尊敬してやまなかった泉井は Meillet の歴史言語学と一般言語学の論集 Linguistique historique et linguistique générale（2巻, Paris, 1921, 1935, 1952, 1958, 1975, 334pp.；234pp.）の書名を借りて、自分の論集に『一般言語学と史的言語学』（大阪、増進堂、1947, 444頁；ここに京都大学卒業論文「印欧語における infinitive の発達」1927 が収められる）の書名をつけた。印欧語は、本来、男性の屈折（inflection）と女性の屈折の区別はなかった。pater の語形変化は māter の語形変化と同じであり、女性名詞 fāgus（ブナ）の変化は男性名詞 lupus（オ

オカミ）と同じである。ギリシア語hípposは雄馬も雌馬も指し、定冠詞ho, hēで区別される。男性・女性・中性の3性区別よりはむしろ、有生物・無生物（animé-inanimé）の区別が本源的であり、有生物の下位区分として男性・女性が生じた。「雌馬」を表すサンスクリット語áśvāやラテン語equaは二次的な発達である。印欧語には「水」と「火」を表すのに有性と無性の2類があり、「生きている水」「流れている水」「水の神」「神聖な水」はサンスクリット語āpaḥ（女性複数；cf.Punjab五つの川の地方）だが、物としての「水」はudán-（無性＝中性；ギリシア語hýdōrも同様）、「火の神」「生きている火」はサンスクリット語agniḥ, ラテン語ignisで、ともに男性、「物」としての「火」はギリシア語pyr, ドイツ語Feuerのように中性であった。比較言語学においては、語形は似ているが語源の異なるもの、語形は似ていないが語源が同じもの、に注意しなければならない。ドイツ語ich habeとラテン語habeo（I have）は形は似ているが、前者の語根は *kap-「捕らえる」（ラテン語capere）、後者は *ghabh-（ドイツ語geben）である。Meilletの『歴史言語学と一般言語学論集』第2巻1936は言語学者の伝記Ernest Renan, Ferdinand de Saussure, Vilhelm Thomsen, Robert Gauthiot, Louis Havet, Maurice Cahen, Michel Bréalを収めている。

Meinhof, Carl（カール・マインホーフ, 1857-1944）。ドイツの言語学者。アフリカ諸語が専門。1905-1909年、BerlinのOrientalisches Seminarで、1909年以後HamburgのKolonialinstitutで教える。Grundriss einer Lautlehre der Bantusprachen（1899）, Grundzüge einer vergleichenden Grammatik der Bantusprachen（1906）, Die Sprachen der Hamiten（1912）, Die Entstehung flektierender Sprachen（1936）. アフリカの詩についてもDie Dichtung der Afrikaner（1911）, 宗教についてAfrikanische Religionen（1912）がある。

Mencken, Henry Louis（ヘンリー・ルイス・メンケン, 1880-

1956)。アメリカの新聞記者。The American Language（1918）.

Menéndez Pidal, Ramón（ラモン・メネンデス・ピダル、1869-1968）。スペインの文献学者、言語学者。1899年、Madrid大学教授。1910年、Centro de Estudios Históricos を創設し、スペインの言語学者、文献学者を育てた。スペイン中世の歴史、文学、言語を研究。El cantar de mio Cid（3巻, 1908-1911）, El romancero español（1910）, La España del Cid, 2 vols. 1930, 1943²（英訳 London, 1934）, Historia de España（3 vols. 1935-1947）。言語学の分野では Manual de gramática histórica española（1904, 1944⁷）, Orígenes del español（1926, 1950³）.

Meriggi, Piero（ピエロ・メリッジ、1899-1982）。イタリアの言語学者。1930年、Hamburg大学一般言語学講師、1940年、Fascist 党に参加しなかったからの理由で、クビになった。1949年、Pavia大学教授。小アジアの pre-Hellenic 言語の解読に尽力し、Lycia語、Lydia語の最大権威であった。Ignace J. Gelb とともに、象形文字ヒッタイト語の解読に貢献した。

Meringer, Rudolf（ルードルフ・メーリンガー, 1859-1931）。オーストリアの言語学者。ウィーン大学助教授の時代に書いた Indogermanische Sprachwissenschaft（Sammlung Göschen, Leipzig 1897, 136pp.）は、それ以後の Hans Krahe（1943）と異なり、一般言語学的な考察を種々含んでいる。Charcot's Schema（連合中枢 Associations-Centrum：視覚・聴覚・書記中枢・言語中枢の図式）のほか Kultur und Urheimat der Indogermanen（これも H.Krahe にはない）の一節を書いている。1909年雑誌 Wörter und Sachen（語と物）を発行（17巻, 1909-1936；協力者 W.Meyer-Lübke, J.J. Mikkola, R.Much & W.Murko）。物があれば、それを表す単語があったはずである。こうして、言語学は先史時代の牧畜、農業、牛、ヒツジ、馬、畑、ライムギ、などの印欧語根を作り、のちに Otto Schrader により完成された。1890年ごろ、A.Meillet がアルメ

ニア語研究のため、Tiflisに向かう途中、WienでMeringerを聴講
した。

Meyer, Gustav（グスターフ・マイヤー, 1850-1900）。ドイツの言
語学者、アルバニア語の専門家。Breslau大学でギリシア語とラ
テン語の研究に専念。1876年、PrahaでPrivatdozent, 1877年Graz
大学の印欧言語学教授。Griechische Grammatik（1880）は長い間、
standard workだった。主著Kurzgefasste albanesische Grammatik
（1888）, Etymologisches Wörterbuch der albanesischen Sprache（1891）.
イタリアのアルバニア植民地をフィールドワークし、アルバニア
語とトルコ語におけるイタリア語の要素、イタリアのフォークロ
アを研究した。Graz近郊のFeldhofの精神病院（insane asylum）
で亡くなった。

Meyer, Paul（パウル・マイヤー, 1840-1917）。フランスの文献学
者、言語学者。Anglo-Norman, Old French, Provençalのテキストを
出版。La chanson de la croisade contre les Albigeois（1875-1879）,
Alexandre le Grand dans la littérature française du Moyen Âge（1886）.
G.Parisと雑誌Romania（1982）を創刊。

Meyer-Lübke, Wilhelm（ヴィルヘルム・マイヤー・リュプケ,
1861-1936）。ドイツのロマンス語学者。Zürich, Berlin, Parisに学
び、1890-1915年Wien大学教授、1915-1935年Bonn大学教授。教
え子の一人Matteo Bàrtoliは彼をロマンス語学者のprinceと呼んだ。
Romanisches etymologisches Wörterbuch（Heidelberg, 1911, 1972[5]；
31＋1204頁）はラテン語見出しで1-9635a, 追補9637-9721の番号
順にラテン語およびそれに由来するロマンス諸語を掲げている。
pulcher（美しい）のような古典ラテン語のみの場合は、見出し語
に出ていない。pp.815-1204は索引。ここに掲げられている約1万
語のうち、3000語はラテン語以外の起源であり、1600語がアス
テリスク付き、6000語がすべてのロマンス諸語に継承されてい
る。Stefenelli（1992）によると7000語。

Migliorini, Bruno（ブルーノ・ミリョリーニ, 1896-1975）イタリアの言語学者。1938年、Firenze 大学、イタリア語の歴史の教授。主著は Dal nome proprio al nome comune（1927）, Lingua contemporanea（1938）, Lingua e cultura（1947）. 雑誌 Lingua nostra 創刊（1939）。Storia della lingua italiana（1960）.

Mikkola, Jooseppi Julius（ヨーセッピ・ユリウス・ミッコラ, 1866-1946）。フィンランドのスラヴ語学者。1921年、Helsinki 大学スラヴ文献学教授。Berührungen zwischen den westfinnischen und slavischen Sprachen. Slavische Lehnwörter in den westfinnischen Sprachen. Helsingfors（1899）. 主著 Urslavische Grammatik, 3vols. Heidelberg 1914.

Miklosich, Franz（フランツ・ミクロシッチ, 1813-1891）。オーストリアの言語学者。Wien 大学スラヴ学教授。『スラヴ語比較文法』4巻（1876；下記参照）の著者。そのロシア語訳（Moskva, 1884-1887）。Lexicon palaeoslovenico-graeco-latinum emendatum auctum, Vindobonae, 1862-1865. A. Leskien のような Junggrammatiker により時代遅れとなったが、資料は貴重なまま残る。Vergleichende Grammatik der slavischen Sprachen（4巻, 1852-1875, 合計2578頁）。Etymologisches Wörterbuch der slavischen Sprachen, mit Berücksichtigung der anderen indogermanischen Sprachen und Dialekte. Wien 1886, reprint Amsterdam, Philo Press, 1970, viii + 548頁。Dictionnaire abrégé de six langues slaves. St.Petersburg & Moscow 1885.

　　著者を顕彰した Miklosichgasse（1954）がウィーンの Floridsdorf（21.Bezirk）にある。

Milewski, Tadeusz（タデウシュ・ミレフスキ, 1906-1966）。ワルシャワ大学教授。Językoznawstwo（言語学；Warsaw, 1969）を Marsza Brochwicz がポーランド語から英語に訳して Introduction to the Study of Language（The Hague & Paris, Mouton, 1973, 204pp.）を出版した。言語類型論（linguistic typology）的な扱いが随所に

見られる。音韻類型論の章では、アランダ語 Aranda（オースト
ラリア）とハワイ語は音素がわずか13個であるために、形態素
の平均の長さが4音素であること、逆に北コーカサス諸語（ラク
Lakh、アルチ Archi、アドゥゲ・カバルディ Adyghe-Qabardi、ウビフ
Ubykh の諸語は45から75個もの音素をもつために、形態素の長
さは1.25音素から1.40音素であること、現代ヨーロッパ諸語は、
その中間で25音素から40音素の理想的な体系をもっている。12
個から20個の音素は少なすぎて、長い形態素を必要とするので、
その種の言語は減少し、逆に45個から75個の音素は、過多体系
（overloaded system）として、聴覚・認知に負担をかけるため、減
少しつつある。その中間の20個から45個の理想的な音素体系が
広まりつつある。数詞は20進法よりは10進法が好まれ、指示代
名詞はラテン語の3項体系（hic-iste-ille）よりは英語などの2項
体系（this-that）が普及しつつある。

　アニ・オトウト・アネ・イモウトのハンガリー語は bátya, öccs,
néne, húg で日本語の区分けと一致するが、英語は brother, sister, ド
イツ語も Bruder, Schwester, ポーランド語も brat, siostra の2項、マ
ライ語は sudarā の1語が4者をカバーする。

　ポーランドの言語学者の中では Jerzy Kuryłowicz のほうが有名
だが、Milewski にも卓見が随所に感知される。

Monier-Williams, Sir（モニエ・ウィリアムズ, 1819-1899）。イギ
リスのインド学者。Oxford で H.H.Wilson のもとでサンスクリッ
ト語を研究し、1860年に、そのあとを継いだ。English-Sanskrit
Dictionary（1851）と Sanskrit-English Dictionary（1872）は最良の
辞書である。Practical Grammar of the Sanskrit Language（3rd ed.,
1864）. Indian Wisdom（3巻, 1875-1876）はインドの文化、宗教、
哲学、文法、天文学、数学、法学、文学の百科事典になっている。
1860年、Oxford の教授会で、833票対610票で Max Müller を破り
サンスクリット語教授になった。手元に2012年に村岡章夫さん

（1925-2011）からいただいたSanskrit-English Dictionary がある（1982；introduction 34頁，本文1333頁）。Max Müller は、1868年、Professor of Comparative Philology になった。

months, names of（月名）。印欧語民族は、古くは、年、季節、週を区別していなかったらしい。月は満ち干（wax and wane）により、早くから時の区分として知られた。moon と month（-th は抽象名詞；ドイツ語 Mond, Monat）は、語根 *mē- 'to measure' に由来する。ロシア語 mésjats メシャツも「月month」と「お月さま」（molodój mésjats 新月）の両方の意味がある。ローマでは1年が10か月からなり、1年は3月に始まった。Martius は戦いの神、ローマ守護神、ローマ人の先祖 Mars の月である。1月と2月は、のちに Numa Pompilius（在位715-673 B.C.）が付け加えた。Martius, Aprilis, Maius, Iunius, Quinctilis, Sextilis, September, October, November, December. ゲルマン民族は、カール大帝（Karl der Grosse, 742?-814）の時代に12か月を導入し、wintarmanoth 冬の月, hornung 2月（日数が少ない：私生児の意味か, lentzinmanoth 春の月, ostarmanoth イースターの月, winnemanoth 牧場の月, brachmanoth 休作の月, hewimanoth 干し草の月, arannamanoth（?）, witumanoth 柳の月, windumemanoth ブドウ刈の月, herbist 収穫の月, heilagmanoth 聖なる月。ポーランド語は古い名称を保持している。1月 styczeń 農夫が耕作の準備；2月 luty 霜の厳しい月；3月 marzec（ドイツ語 März から借用）；4月 kwiecień 花の季節；5月 maj（ラテン語より）；6月 czerwiec ミツバチが蜜を貯める月；7月 lipiec 菩提樹の月；8月 sierpień 鎌の月；9月 wrzesień エリカの月；10月 październik 麻の穂が落ちる月；11月 listopad 落葉；12月 grudzień 土くれ（gruda）の月。

mood（法）。事実、推測、願望など、話者の意図が表現される。直説法（indicative：it rains, it is raining）；接続法（subjunctive：'if he bless you', 'if he be ill', 'I tremble lest he be discovered', 'it is better

that he die', she insisted that he accept her'）；命令法（Go! Let's go!）。
接続法はwould, should, mightなどと一緒に用いるほうが多い。I would buy this house if I had the money. J'achèterais cette maison si j'avais l'argent. He promised he would come at three. Il me promit qu'il viendrait à trois heures. ギリシア語は、ほかにoptative（願望法）をもっていた。mē génoito toūto（そんなことが起こらねばよいが）。

Morf, Heinrich（ハインリッヒ・モーフ, 1854-1921）。スイスの言語学者。ParisでGaston Parisのもとで研究。25歳でBernのロマンス語教授。1889年Zürich, ついでFankfurt am Main, Berlin大学教授。Aus Dichtung und Sprache der Romanen（1903-1911）, Die sprachliche Gliederung Frankreichs（1913）.

morphology（形態論）。音韻論phonology, 統辞論syntaxとともに文法の3部門の一つ。books [buks] は4音素からなり、book-sは2個の形態素からなり、these books were sold in a dayにおいては文の主語となる（統辞論）。形態素はprefix, infix, suffixで表される。ドイツ語ge-は過去分詞（ge-liebt）、古風な英語y-clad 'clothed' 衣を着せて。infix（接入辞）は少ないが、ラテン語vi-n-co（征服する）、vīcī（征服した）に見られる。母音を変えてsing, sang, sungは現在・過去・過去分詞を作り、songは名詞を作る。singの過去sangに対してloveの過去lovedは語尾-edで作るが、これはdoの過去did（do + ed）と同じで、名詞派生（denominative）の動詞は-edで作られる。過去分詞も同じである。

Müller, Max（マックス・ミュラー, 1823-1900）。ドイツのインド学者、言語学者。BerlinでFranz Bopp, ParisでBurnoufのもとで研究。1868年、Oxford大学comparative philology教授。インド文献学、宗教史、言語学の三つの分野で活躍した。Rigvedaの刊行（London, 1849-1873）、Hitopadeśa（ヒトーパデーシャ「よい教訓」hita-upa-deśa）、History of Ancient Sanskrit Literature（1859）, Sacred Books of the Eastの叢書を1875年に開始。Essay on Comparative Mythology

（1856）はこの種の研究の草分けとなった。The Science of Language（London, 1861-1863）は大成功を収め、5回も再版された。ゲルマン語の子音推移は Jacob Grimm の発見だが、これを Grimm's Law と呼んだ。1860年、Prof.of Sanskrit at Oxford を 833票 対 610票 で Sir Monier Monier-Williams に敗れたが、1868年、Max Müller のために創設された比較言語学教授になった。（Manfred Mayrhofer 著、下宮訳『サンスクリット語文法』文芸社2021, p.82）

Murayama, Shichiro（村山七郎, 1908-1995）。村山先生は早稲田大学政経学部で学んだあと、外務省嘱託となり、1943年、第二次世界大戦下のベルリンに出張、戦火の中で、Max Vasmer とロシア語、スラヴ諸語を、Erich Haenisch とシナ学とモンゴル学を、Annemarie von Gabain とチュルク語、アルタイ語を学んだ。これらの方々を、いつも、先生と呼んでいた。Vasmer の『ロシア語語源辞典』は、カードを空襲で焼失してしまったので、戦後、ゼロから始めて、Russisches etymologisches Wörterbuch（3巻, Heidelberg, Carl Winter, 1953-1958）を完成した。このロシア語語源辞典はロシア語訳が出たほどの名著である。Etimologičeskij slovar' russkago jezyka. 4巻, Moskva, O.N.Trubačëv 訳 1964-1973. 九州大学言語学教授、京都産業大学アルタイ語教授（泉井先生に招聘された）。筆者が1963年、東京教育大学大学院在学中、ロシア語中級の授業を受けたとき、「下宮君、ゲルマン語をやるなら、ドイツに留学しなきゃだめだよ、と言って、DAAD（ドイツ学術交流会 Deutscher Akademischer Austauschdienst）という制度があることを教えてくれた。私は矢崎源九郎先生（1921-1967）のもとで修士論文 Dative Absolute in Gothic（ゴート語における独立与格）を準備中だったが、まわりは、この留学制度をだれも知らず、村山先生から初めて知った。授業のあと、地下鉄の茗荷谷駅まで歩きながら、ドイツ語の練習をしてあげよう、と、いま何時か、今日は何日か、など数詞を中心に会話の手ほどきをしてくれた。留学試

験のとき、ドイツ語能力書（Sprachzeugnis）を書いてもらった。研究の推薦状は矢崎先生に書いていただいた。留学試験のとき、Krimmのドイツ語辞典を知っているか、と聞かれたが、答えられなかった。あとで、北ドイツでは語頭のgをkと発音することを知った。だが、おかげで、同期10名の一人として1965年9月から1967年7月までボン大学に留学することができた。村山先生には、ポリワーノフ著『日本語研究』村山七郎編訳、弘文堂1976などがある。（下宮『アンデルセン余話10題ほか43編』近代文藝社2015）

mutation（母音変異）。Jacob Grimmの用語Umlautを英語で表現したもの。man→men, goose→geese, mouse→mice, tooth→teeth, deep→depth, long→length；tale→tell, blood→bleedにおける母音は接尾辞-janより。ドイツ語Gast→Gäste, Buch→Bücher, lang→länger, längst, trage→trägst, trägt, Berg→Gebirgeなど。ゲルマン語のmutationは西暦4世紀に始まったと考えられる。Wulfila（380年ごろ死）のゴート語訳聖書には見られない。

N（発音）。位置によって、また言語によってdental n（フランス語né, née 'born'）、alveolar n（英語not, sin）、palatal n（ñ or ń：フランス語digne, スペイン語año）、cacuminal n（サンスクリット語vāriṇi "water"のpl.；これは位置により生じるので、音素の意味はない）、velar n（英語sing, sink）。ñは中世スペイン語ではnnと書かれた。ラテン語annumが、その後、スペイン語でañoと書かれるようになった。イタリア語anello（アネッロ「指輪」）とagnello（アニェッロ「子羊」）、スペイン語pena（罰）とpeña（岩）。nは鼻音（nasal）なので、位置によって唇音mに近くなる。companion（一緒にパンを食べる者）。ポルトガル語はmãoマンウ（手）、pãoパンウ（パン）のように表記する。

Navarro, Tomás（トマス・ナバッロ, 1884-1979）。スペインの音声学者。1914-1936年、MadridのCentro de Estudios Históricos（若

い言語学者を教育した）の主要メンバーの一人だった。Ramón Menéndez Pidal の最後の弟子だった。1930年から1936年までイベリア半島の言語地図作成を主宰し、1950年には印刷の準備が完了していた。1936年の市民戦争（civil war）を逃れて New York の Columbia 大学教授。スペイン語の発音、アメリカ・スペイン語（Hispano-American）の音声学の権威だった。主著 Compendio de ortografía española（1927），Manual de pronunciación española（4版，1932），Cuestionario lingüístico hispanoamericano（1943），Manual de entonación española（1944）.

neogrammarians（新文法学派；ドイツ語 Junggrammatiker）。1880-1900年、Leipzig で活躍した言語学派。Hermann Osthoff, Karl Brugmann（Morphologische Untersuchungen, 1878）が明言した「音法則に例外なし」（keine Ausnahme zu den Lautgesetzen）をモットーとした。しかし、音法則に当てはまらない語形が類推（analogy）によって説明することが、多く、生じた。また、言語は社会との関連で研究されねばならない。このことから社会言語学 sociolinguistics（A.Meillet）が生じた。

neolinguistics（新言語学）。イタリアの新言語学はジリエロン Jules Gilliéron のフランス言語地図（1902-1909）とクローチェ Croce の Aesthetics（1900）をもとにし、Matteo Bàrtoli（1873-1946）が教義をまとめた。

Niedermann, Max（マックス・ニーダーマン, 1874-1954）。スイスの言語学者。1905-1909年、Neuchâtel 大学で教え、1909-1925年 Neuchâtel 大学教授、1932-1944年、同大学学長。Précis de phonétique historique du latin（1906）. Wörterbuch der litauischen Sprache（with A.Senn and F.Brender）.

Norwegian（ノルウェー語）。北欧のスカンジナビア半島、ノルウェーで話される言語。人口は532万。他の北欧諸国と同様、世界一の福祉国家。北欧探検のフリチョフ・ナンセン Fridtjof Nan-

sen やアムンセン Roald Amundsen が有名。1947年、トール・ハイ
エルダール Thor Heyerdahl（1914-2002）がコンチキ号 KonTiki（バ
ルサ木 balsatre で作ったイカダ）でペルーからマルケサス諸島ま
で101日かけて航海し、コロンブス以前のアメリカ・インディア
ン人が Polynesia に到達できたことを証明した。コンチキ号探検
記は60言語以上に翻訳され、ベスト・セラーになった。

　そのノルウェー語に二つの公用語がある。ブークモール bok-
mål（書物の言語）とニーノシュク nynorsk（新ノルウェー語）で
ある。書物のノルウェー語は国民の83%に利用される。新ノル
ウェー語はノルウェー西南部に残る古風な方言（今日のアイスラ
ンド語に近い）だが、これも文語で、その作家も多い。同じ新聞
でも、特派員の発信地によって、lørdag レールダーグ（土曜日）
と書いたり、laurdag ラウルダーグと書いたりする。laurdag の二
重母音 au は、より古い語形である。ここからフィンランド語に
借用されて lauantai ラウアンタイ（土曜日；原義は洗濯日）と
なった。1987年7月、オスロの町を歩いていると、あるバスは
ikke gå over veien før bussen har kjørt（バスが通り過ぎるまで道を
渡るな；ブークモール）、別のバスは ikkje gå over vegen før bussen
har køyrt（ニーノシュク）と書いてあった（下宮『ノルウェー語
四週間』1993）。

　ヘンリク・イプセン（Henrik Ibsen, 1828-1906）の『人形の
家』Et dukkehjem（1879）は、一世を風靡した。140年以上前で
ある。今は、妻の蒸発は珍しくないが。銀行の店長トルヴァル
Torvald は妻ノラ Nora と3人の子供と一緒に楽しく暮らしていた。
だが、ノラは、ある晩、こう言って、家出した。私はいままで、
人形妻（dukke-hustru, doll-wife, 主体性のない妻）にすぎませんで
した。社会に出て、勉強して来ます、と言って、子供3人と夫を
残して家出してしまった。そのノラは、どうなったか。アメリカ
の劇作家ルーカス・ナス Lucas Hnath が新作の戯曲 Nora is back

（帰って来たノラ：人形の家 Part 2）を発表、翻訳・常田景子、演出・栗山民也、ノラ役・永作博美で、2019年8月9日から9月1日まで、東京の新宿紀伊国屋サザン・シアターで上演された。すでに死んでいると思われていたのに、15年ぶりに帰って来たノラを、乳母は驚きながらも歓迎した。ノラは女流作家として成功を収めていたのだ。初日は468席が、ほぼ満席の盛況であった。

noun and verb（名詞と動詞）。名詞と動詞は、8つの品詞の中では相違が最も大きい。名詞はモノとヒトの名前であり、動詞は「名詞」の動作を表すからである。「太郎」は「本」を「読む」。「花子」は「食事」を「作る」。ラテン語の名詞はnomenで形容詞を含んでいた。区別する場合はnomen substantivum, nomen adjec-tivumと呼んでいた。verbum（動詞）の語根は*werdhomで、英語wordと同じだった。オーストリアのグラーツ Graz 大学のロマンス語学者（バスク語の専門家でもあった）Hugo Schuchardt（フーゴー・シュハート 1842-1927）は「どの言語においても、動詞こそ言語の生命である」Das Verb ist die Seele einer jeden Sprache. Über das Georgische. Wien, Selbstverlag des Verfassers, 1895, 12pp.）と述べている。英語では名詞が動詞に用いられたり、動詞が名詞に用いられたりする。a bomb, the bombed Hiroshima, a stone, the stoned frog, have a try, let's have a try, on the go 活動して。印欧語は動詞の語根に -tum をつけて名詞（動名詞）を作った。語根 dā-「与える」→ ラテン語 datum「与えること」（dōnum「贈り物」）、サンスクリット語 kṛ-「する、作る」→ kartum「すること」。ノルウェーの言語学者・オスロ大学教授 Alf Sommerfelt（1892-1965）は、オーストラリアの Aranda アランダ語の研究（1938）の中で、アランダ語は root があって、名詞、形容詞、動詞にも用いられる、と書いている。日本語は kak-u 書く、kak-u-koto 書くこと、kak-i-mono 書き物、のように語根から接尾辞をつけて派生語を作る。

numerals（数詞）は名詞として扱われる。ラテン語 centum は中

性名詞だった。その後、ducenti（200）, trecenti（300）となった（ducenta, trecenta ではなく）。英語 hundred は hund（100）+ red（数；ラテン語 ratio）だった。英語 eleven, twelve はゴート語 ain-lif, twa-lif（1 あまり、2 あまり）で、lif はギリシア語 leíp-ō, é-lip-on（残す）の lip- と同根である。英語 first, second, third, fourth…の first はラテン語 prius, premius「前の、一番前の」に最上級の語尾がついたもので、second はラテン語 secundus（あとに来るべきもの；sequor 'follow'）から「秒」の意味になった。minute「分」の次である。倍数詞（multiplicative）に形容詞と副詞があり、形容詞 simple, double, triple, quadruple…副詞は once, twice, thrice（two times, three times）…がある。集合名詞 pair, couple, dozen, score（three score and ten 人生 70 年）。

O（発音）。日本語アイウエオ, スペイン語 i, e, a, o, u の 5 母音の中で安定した位置を占めている。アラビア語は i, a, u の 3 母音なので、i , a, u が e, a, o が占める音域と同じなので、それぞれの音域は広い。ラテン語の短い ŏ（rŏta 車輪はドイツ語 rad, 発音 rāt となった）, 長い ō はラテン語 dōnum 贈り物, ギリシア語 dôron, ロシア語 a（dat' 与える, po-dar-ok 贈り物）となった。ラテン語の短い o は os（骨）と長い ōs（クチ mouth）の区別があったが、イタリア語、フランス語では o, u, eu となった。イタリア語 oro, スペイン語 oro, フランス語 or（金）はラテン語 aurum からである。ラテン語 flōs, flōris（花）はフランス語 fleur となった。英語 son, work, book の o は発音が異なる。-ation, -ator では [ə] に弱化した。

Old Church Slavic（古代教会スラヴ語）。印欧語比較文法においてスラヴ語の代表として用いられる（ゲルマン語の代表としてゴート語のように）。マケドニアの宣教師キリル Cyrillos とメトディオス Methodius が西暦 862 年に聖書翻訳に用いた言語。ブルガリア語の特徴 žd に見られる。dy > žd（*medyā > mežda "middle", meždu-naródnyj "international"）。A.Leskien, Handbuch der altbul-

garischen（altkirchenslavischen）Sprache. Grammatik, Texte, Glossar. Heidelberg 1962[8]（欧米で教科書として100年間も用いられた）。
木村彰一『古代教会スラヴ語』白水社, 1985.

Old Prussian（古代プロシア語）。リトアニア語とともにバルト語派の一員で、1700年ごろ死滅した。テキストは15 〜 16世紀の100頁弱の文献に残る。Prussia は Po-russia（ロシアの近郊）。

onomatopoeia（擬音語）。原義は onomato-（名）-poeia（を作るもの、作ること）で、日本語でもオノマトペと言う。パラパラ、パラリパラリ、チョロチョロ、チャリンチャリン、カサカサ、カサコソカサコソ…何の音？　コンビニで買った100円のお菓子をビンにあけるときの音だよ。オノマトペには三つの段階がある（下宮、学習院大学言語共同研究所紀要 13, 1990）。

第一段階：自然音に近い。suya-suya-suya, z-z-z（静かに眠っている音）、guu-guu-guu, Z-Z-Z（グーグー眠っている音）

第二段階：すこしお化粧をほどこしている。crack! ポキン；clip-clop! カランコロン。

第三段階：たっぷりお化粧をほどこしている。ホトトギス（フジョキキョと聞こえることから漢字で不如帰と書く）；エ owl, ド Eule, フ hibou, エ bustle, hustle.

ホトトギスは鳴き声がフジョキキョと聞こえるそうだ。その音から鳥がホトトギスという名称を得たそうだ。徳富蘆花（1868-1927）の『不如帰』（ホトトギス The cuckoo, 1899）がフランス語に訳され、そこからブルガリアに紹介された。主人公の浪子は理想の結婚をしたが、「ああ、つらい、もう婦人なんぞに生まれはしません」と女性の苦しさを訴えた。これを歌った雨のブルース（Blues in the rain）、雨よ、降れ、降れ、悩みを流すまで…Rain, rain, go, go, till you wash away my suffering…の淡谷のり子（1907-1999）は、1977年、70歳のとき、ブルガリアに招待されて、大歓迎を受けた。

orthography（正字法、正書法）。「お菓子を」の「お」と「を」は同じ発音だが、日本語は目的格のときは「を」と書く。英語 c は cat [k], city [s] のように、発音が異なる。Old English は cnāwan クナーワンと書いたが、いまは know となり、k は発音されない。これは正字法と発音の変化が一致しないためである。正字法が固定し、発音の変化のほうが早い。cent, count はどちらもフランス語からきたが、c の発音が異なっている。ortho はギリシア語で「正しい」graphy もギリシア語で「書き方」の意味である。

Ossetic（オセート語）。印欧語族中のイラン諸語の一つ。言語人口35万人。コーカサス山地のロシア・北オセチア自治共和国（首都オルジョニキゼ Ordžonikidze）、グルジア共和国中の南オセチア自治区（首都スタリニリ Staliniri）に行われる。ナルト伝説（Nartensagen）の豊富なフォークロアを伝える。G.Dumézil, Légendes sur les nartes, suivies de cinq notes mythologiques.（Bibliothèque de l'Institut Français de Léningrad, XI, Paris, 1930, xi, 213pp.）

Oxford English Dictionary（オックスフォード英語辞典）。1928年20巻、補巻1933, 第2版1989年（20巻、補遺3巻）、計23巻、計22,700頁、見出し語数30万語を収める（グリムのドイツ語辞典1854-1961, 全32巻、補巻 Bd.33；1985年、Grimm 兄弟の生誕200年記念出版；Bd.33 は出典索引 Quellenverzeichnis）。Oxford は2004年ごろから word of the year を開始。2021年は vax だった（vaccinate, vaccination）。

P（発音）。唇音（labials）p は papa, mama のように、幼児が最も早く習得する音である。印欧語 *p はラテン語 pater, ギリシア語 patēr, サンスクリット語 pitā(pitár-)、ロシア語 pit'（飲む）、pivo（飲み物、ビール）など、広くに残っている。ゲルマン語では f になった（father, Vater）。pater の p がケルト語では消えて athir となる。porcus（ブタ）の p が消えて Orkney（オークニー諸島）は「クジラの島」である（orkn-ey）。ギリシア語 pn, ps, pt の語頭子音連

続（consonant cluster）は保たれて pneumonia, psychology（2020年、バイデン大統領報道官 Psaki, Jennifer）, Ptolemaios などに残る。英語は ph と書いて［f］の音となる。philosophy, photo. だが shepherd では ph が［p］となる。

Pagliaro, Antonino（アントニーノ・パリャーロ, 1898-1973）。イタリアの東洋学者、言語学者。Heidelberg の Christian Bartholomae のもとで印欧言語学、インド・イラン語を研究。1927年、ローマ大学の言語学とインド・イラン語教授。Pahlavī texts 出版。

Paleo-Siberian languages（旧シベリア諸語）。北シベリアに行われる言語で、旧アジア Paleo-Asiatic 諸語とも極北 Hyperborean 諸語とも呼ばれる。東方群に Luorawetlan, Kamchatka 半島の Chukchee, Koryak, Kamchadal 語、Yukaghir（Chuvanty, Gilyak）、西方群（or Yenisei family）に Ket（Yenisei Ostyak）, Cottian（Kotu）, Asan, Arin. この地域の言語は西方にはアルタイ諸語、東方にはアメリカ・インディアン諸語が連なっている。Luorawetlan 語と Gilyak 語はツングース諸語のように母音調和 vocalic harmony を知っている。ギリヤーク語は人間、動物、魚の類別詞をもっている。数詞は 1, 2, 3, 4, 5, 5 + 1, 5 + 2, 、8=4 + 4. Kamchadal 語はロシア語からの借用、特に 100, 1000 はそうである。

Pāṇini（パーニニ）。紀元前400年ごろインドの文法家。文法書の原語名 Aṣṭādhyāyī は「8章文典」aṣṭa「8」adhyāya「学習」の意味。吉町義雄訳『古典梵語大文法』泰流社, 1995年, 678頁 49,440円。この名著、岩波書店で出してやればよいのに。訳者（1904-1994）は京都大学言語学科に学び、九州大学教授だった。定年後、カナダに住む娘のところに移住した。Pāṇini's Grammatik. Hrsg. übersetzt, erläutert und mit verschiedenen Indices versehen von Otto Böhtlingk, Leipzig, 1887[3], Georg Olms Verlag 1997, xx,480, 358pp. 語幹 stem の概念、音論、sandhī, 形態論、など、用語はすべて今日まで生きている。

Pàrodi, Ernesto Giacomo（エルネスト・ジャコモ・パロディ，1862-1923）。イタリアの文献学者、言語学者。Ascoli, Croce の教義に従う。Poesia e storia nella Divina Commedia（1920；文献学的、歴史的、審美的研究), Poeti antichi e moderni（1923), Questioni teoriche, le leggi fonetiche（1909).

parts of speech（品詞）はラテン語 partēs ōrātiōnis を訳したものだが、ドイツ語の Wortarten "kinds of words" のほうが適している。古代ギリシア（Kratylos, Platon）は ónoma 名詞と rhēma 動詞の2つ、ストア学派（Stoics）は名詞、動詞、接続詞、冠詞 árthon（代名詞が含まれる）の4つ、Varro も4つ（名詞、動詞、分詞、小詞 particle)、Dionysios Thrax（トラキア人ディオニューシオマ）に至って、今日の8品詞が設けられた。アラビア人は3品詞（名詞、動詞、小詞）。Jespersen（The Philosophy of Grammar, 1924）は5品詞（名詞、形容詞、代名詞［数詞を含む］、動詞、小詞［副詞、前置詞、接続詞、間投詞を含む]）。

Passy, Paul（ポール・パッシー，1859-1940）。フランスの音声学者。パリの École des Hautes Études の directeur-adjoint（1906）。音声表記（発音記号）は英国の Henry Sweet, デンマークの Otto Jespersen とともに、1930年の International Phonetic Alphabet（IPA）が完成するのだが、Passy の Petite phonétique comparée des pricipales langues européennes（1906）を見ると、すでに、国際音声記号が完成しているのが、わかる。1906年のこの本（主要ヨーロッパ諸語の比較音声学；132頁）を見ると、今日、用いられている発音記号と同じである。Passy の先見性が見てとれる。

Paul, Hermann（ヘルマン・パウル，1846-1921）。ドイツの言語学者。1872年、Leipzig の私講師（Privatdozent）、1874-1893年、Freiburg 大学、1893年 München 大学教授。最初の主著 Prinzipien der Sprachgeschichte（1880）は Sprachwissenschaft ist gleich Sprachgeschichte 言語学は言語史なり、と明言したほど19世紀の言語学

は歴史主義に貫かれていた。1891年Grundriss der germanischen Philologieの出版を開始した。Wilhelm Braune, Eduard SieversとともにBeiträge zur Geschichte der deutschen Sprache und Literaturを創刊。Mittelhochdeutsche Grammatik（1881）, Deutsches Wörterbuch（1897）, Deutsche Grammatik（1916-1920）. 1916年、大学退職ののち、まもなく盲目になったが、仕事を続けた。1961年、東京教育大学大学院で河野六郎先生が言語学演習の授業でPaulのPrinzipien講読をしていたとき、Paulは旧約聖書、Saussureは新約聖書にたとえた。河野先生から、ラテン語altusが「高い」と「深い」の両方の意味があることも教わった。mons altus「高い山」flumen altum「深い川」水平線を基準にすると、山の高さも川の深さも、距離は同じだから。

Persian（ペルシア語）。印欧語族の中のイラン諸語の一つ。イランに4000万人、アフガニスタンに500万人に話される。タジキスタンのタジク語Tajikはキリル文字で書かれるが、ペルシア語の一種である。古代ペルシア語はペルシア大帝国の言語で、地中海からインダス川まで伸びていた。西暦7世紀にイスラムに征服されて以後、アラビア文字が用いられる。ペルシア語からヨーロッパに入った単語はbazaar, caravan, divan（フランス語douane税関）, jackal, jasmine, kiosk, khaki, lilac, pajama, shawlがあり、その多くは日本語にも入っている。

person（人称）。代名詞と動詞が関連する文法範疇である。Iとweは話者を表し、thouとyouは聞き手を表し、he, she, theyは話題を表す。日本語は「私」と「私たち」は同じ語の単数と複数で表す。英語I, ドイツ語ichイッヒ, フランス語jeジュは1音節なのに、watakushiは4音節も使っている。とても無駄だ。しかし、会話の場で、省略することが多い。どこへ行くんだ？　スーパー（マーケット）だよ、では主語が省略されている。印欧語ではIとweの区別は別語で表現される。ラテン語egōとnōs, ギリシア

語egōとhēmeís, ドイツ語ichとwir, フランス語jeとnous, ロシア
語jaヤーとmyムィのように。フランス語はnous autres Japonaisわ
れわれ日本人は、と言って、話しかける相手を含めた言い方があ
る。ドイツ語、スペイン語、ルーマニア語には尊称（respect）の
2人称がある。Sie（あなた、目上の人）、スペイン語usted（＜
vuestra mercedあなたの名誉）、ルーマニア語domnia ta, dumineatá
はラテン語dominusからきている。フランス語もtu（親しい人、
子供）とvous（あなた、目上の人）の区別がある。英語にもma-
jestic weがあり、編集者が自分を表すのにweを用いる。

personal names（人名）。の研究はonomasticsと呼ばれる。ギリシ
ア語ónoma（属格onómatos名前）からきている。印欧語民族は、
他の民族も同じだが、名前は1個だった。Tom Johnson（Tom,
John's son）のような名と姓を書くのは、のちの時代である。日本
は木村、中村、小村、大野、中野、小野など、地名に由来する。
その後、住民登録などのために、姓と名を併記するようになった。
これはヨーロッパでも同じである（西暦11世紀ごろから）。英語
WilliamはWille-helm（カブトのごとき意思を持つ者）、IbsenはIb
の息子, Andersenはandreíos［勇敢な人：ギリシア語anêr, 属格an-
drós］の息子、の意味である。Johnsonのように-sonはスウェーデ
ン語の形、Andersen, Ibsenの-senはデンマーク、ノルウェーの形
である。ロシア人Vladimirは「世界のmir支配者vladi」の意味で
ある。ロシア語mirは「世界」と「平和」の意味がある。mir míru
ミール・ミールーは「世界にmiru」「平和をmir」の意味である。
ロシアでは共同体（mir）に暮らすことが平和（mir）であった。
ギリシア語の「世界」はkósmos（原義：秩序）、ラテン語の「世
界」はmundusである。フランスの新聞Le Mondeル・モンド、ド
イツの新聞Die Weltディ・ヴェルトは「世界」の意味である。英
語The World, 日本では「世界」という名の新聞は聞かない。

　名前にもどるが、ギリシアのAchilleùs Pēleídēs「ペーレウスの

子アキレウス」のような呼び方からJohn-sonの名ができた。ロシアはLev Nikolayevich Tolstoi「トルストイ家の、ニコライの息子、レフ」のように、個人名、父称（patronymic）、姓を記す。

　ヘブライの名（セム語）はJonathan（神は与えた）、Raphael（神は癒した）、フェニキアのHannibal（Baalの恩恵）、バビロニアのNabuchodonosor（国境の守り神Neboよ！）。

　姓（surname）Fitzgerald, Johnson, Jespersen, MacArthur, Macnamara, O'Neill, Pedersenはpatronymic（pater-onoma 父称）であるが、スペインには母称（matronymic）もある。『ドン・キホーテ Don Quixote』（1615）の著者セルバンテス Miguel de Cervantes Saavedraの父方の姓はCervantes, 母方の姓はSaavedraサーベドラであった。Cervantesはservant-（仕える人）の息子。vは両唇音bilabialなので、セルヴァンテスと書くよりはセルバンテスのほうがよい。Saavedraの語源は不明。

　人名は、Black, Brown, Longfellow, White, Whiteheadなど、身体の特徴や、あだ名（nickname）Doolittle（なまけ者）, Drink-water（フランスBoileau, bois-l'eau）, Lovejoy, Makepiece, Shakespeare（spear-shaker）がある。アイスランド人はJón Helgason（ヘルギの息子ヨウン）, Anna Helgadóttir（ヘルギの娘アンナ）のようにfamily nameは通常用いず、個人名と父の名を示す。アイスランド大統領を4期（1980-1996年）つとめたVigdís Finnbogadóttirヴィグディース・フィンボガドウホティルは、国連のgoodwill ambassadorとして活躍している。2001年、彼女の外国語教育に対する貢献に報いるために、その名を冠せたThe Vigdis Finnbogadóttir Institute of Foreign Languagesが創設された。Finnbogi（フィン人の弓）の娘Vigdísヴィグディース（戦いvigの女神dísの意味）である。2002年11月15日、彼女は学習院大学を訪れ、百周年記念講堂でCultural Heritage in the North（北国の文化遺産）の講演を行い、学生および教職員600人が熱心に聴講した（日本語

の通訳あり）。その機会に、名誉博士号を授与された。（下宮「ドイツ語とその周辺」近代文藝社2003）

philology（文献学）はlove of wordの意味だが、19世紀までは言語学（linguistics）をも含めていた。philologistは言語学者でもあった。Classical philology, Romance philology, Germanic philology, Slavic philologyはドイツの大学ではklassische Philologie, Romanistik, Germanistik, Slavistikと呼ばれ、Romanistik以下の学科は言語、文学、文化、フォークロア、歴史、政治なども含む。

phonetic law or **phonetic change**（音韻法則、音韻変化）。音声は、原則として、同じように変化する。英語dine, fine, mine, nine, pine, swine, timeのiは、開音節で［ai］となった。正書法（綴り字）が固定して、発音が追いついて行けないためである。発音は、同じ条件（開音節、閉音節）ならば、原則として、同じように変化する。外来語machineのような場合は、iは［i:］となる。

phonetics（音声学）。英国A.M.BellのVisible Speech（1867），ドイツのEduard SieversのGrundzüge der Phonetik（1876）. フランスのPaul Passy（1859-1940）のPetite phonétique comparée des principales langues européennes（Leipsic, 1904）を見ると、1930年のInternational Phonetic Association（IPA）の発音記号が、ほとんどそのまま採用されていることが分かる。1939年、N.S.Trubetzkoy（1890-1938）のGrundzüge der Phonologie（Praha, 1938, Travaux du Cercle Linguistique de Prague, 第7巻, 272pp.；長嶋善郎訳『音韻論の原理』岩波書店1980）は機能的音声学（functional phonetics）という新しい音声学を開発した。これは、のちにAndré Martinet（1960）がより平易に解説した。

phonology as functional phonetics（機能的音声学としての音韻論）。N.S.Trubetzkoy（1890-1938）の遺稿となったGrundzüge der Phonologie（Praha, 1939）に詳細に定義される。英語stop［stɔp］とtop［tʰɔp］を比べると、［t］［th］の差がある。前者はvoiceless,

<u>non-aspirate</u>だが、後者はvoiceless, <u>aspirate</u>である。stopとtopのt
は音素の役割を果たしているのではなく、位置による変異（posi-
tional variations）である。しかし、takeのtはbake, cake, fake, lake,
make, rake, sake, wakeと区別するので、音素として機能する、と
いう。cake, cock, cookの母音も同様である。

Pictet, Adolphe（アドルフ・ピクテ, 1799-1875）。Genève生まれ
のスイスの文人、哲学者。Les origines indo-européennes, ou les
Aryas primitifs. Essai de paléontologie linguistique. 2 tomes, Paris,
1859-1863. 555頁 + 789頁。Himalayaのhimaは「寒い、雪、氷」
から始まり、印欧語民族の山、川、金属、植物、果物、動物、狩
猟、漁猟、牧畜、肉、バター、農耕、芸術、職工、裁縫、航海、
武器、家、建築、衣類、家族、風俗（右と左の意味）、葬儀、知
的生活、数、天文、宗教、神話などを論じている。Saussureが幼
年時代に愛読したといわれる。書名のpaléontologie linguistiqueは
言語学的古生物学の意味で、この本は東大の言語学研究室にもな
かった。原田哲夫氏（1922-1986；日本大学歯学部英語教授）が
東海大学に寄贈したもので、挿絵入りの美しい本だった。私は
1992年ごろ、非常勤でデンマーク語を教えていたときに図書館
で発見した。

Pisani, Vittore（ヴィットーレ・ピサーニ, 1899-1990）。イタリア
の印欧言語学者。Geolinguistica（言語地理学）e indeuropeo（1940）
の書名で分かるように、Pisaniは言語地理学に目を向けていた
（genealogical系統樹よりも）。indeuropeoと書く主義だった。Lin-
guistica generale e indeuropea（1947）, Grammatica dell'antico indiano
（1930-1933；Kālidāsa, 1946）, Studi sulla preistoria delle lingue indeu-
ropee（1933）, Manuale storico della lingua greca（1947）, Grammatica
latina storica e comparativa（1948）, Glottologia indeuropea（1943,
1948）. Manuale storico della lingua latina（4 vols. 1960-1964）. 第4巻
Le lingue dell'Italia antica oltre il latino（1964）. この最後の本を1980

年ごろ、古代イタリアの言語を研究しておられた泉井先生にお貸しした。

Pischel, Richard（リヒャルト・ピシェル, 1849-1908）。ドイツの言語学者。1875-1885年、Kiel で比較言語学を、Halle で 1902 年まで、以後、Berlin に移り、Karl Geldner と一緒に Vedische Studien（1889-1903）. Grammatik der Prakritsprachen（1900）.

place names（地名）。人名も地名も、言語研究の「息抜き」の楽しい作業だ。木、林、森、野、水、川、湖、新潟、イタリアの Lago Maggiore（より大きな湖）、イギリスの Lake District など。筆者の住んでいる埼玉県所沢市の所沢 Tokorozawa は沢 swamp のある所 place だし、ハイジ村のある山梨県韮山 Nirayama はニラ leek のある山が地名になっている。ニラ leek は北欧神話にも出るから、古くからあった健康食である。東京は 1868 年、京都から首都が東に変わったので、east capital と名付けられた。京都は metropolitan city「首都＋都市」の意味である。London, Paris, Berlin, New York など、古くからある都市の語源はむずかしい。London は不明、Paris は Lutetia Parisiorum（パリ人の沼地；ガリア語 luto 沼）らしい。Berlin はスラヴ語 brl 沼（r は vocalic r；Berlin, Stettin は語尾にアクセントがある）、York は古代英語 eofor-wīc（イノシシの村；Green-wich は緑村）。New York はオランダ人が早くから居住していたので、1664 年までは New Amsterdam と呼ばれた。

Plattlateinisch（低ラテン語；A.F.Pott の用語）= Romanisch.

Pokorny, Julius（ユリウス・ポコルニー, 1887-1970）。チェコ生まれ、Berlin 大学ケルト語教授であったが第二次世界大戦で Zürich に逃れ、Indogermanisches etymologisches Wörterbuch（1959-1969, 2 巻, 1183pp.；2044 個の印欧語根と、それに由来する主要印欧諸語の語形を掲げる。第 2 巻は Harry B. Partridge による索引。Prof.Dr.Julius Pokorny, Altirische Grammatik（ゲッシェン文庫, 1925, 2.Aufl.1969）は小冊子 128 頁の中に歴史的音論、形態論、

語形成、統辞論、テキストと脚注をギューギューに詰めている。

Polabian（ポラブ語）。Laba（Elbe）河畔（po）の言語で、西スラヴ語。エルベ川の流域（Holstein, Mecklenburg, Rügen, Pomerania, Saxony, Hannover, Brandenburg）で話されていて、1734年にはHannover近郊 Lüneberger Heide で話されていた。N.S. Trubetzkoyに Polabische Studien がある。

Polish（ポーランド語）。西スラヴ語の一つ。ポーランド国内の3800万、アメリカ合衆国の70万、リトアニア、ウクライナ、カナダ、ブラジルなどの少数グループに用いられる。ロシア語の6格のほかに呼格（matka 母は, matko! 母よ）がある。「愛する」のロシア語 ljubít' リュビーチ（love と同根）はポーランド語では「好き」be fond of の意味。「ありがとう」のロシア語 spasíbo スパシーバは「神よ、救いたまえ」の意味（bo は bog 神）。ポーランド語の「ありがとう」dziękuję ジェンクーイェンはドイツ語danke からの借用語で、語尾の ę は1人称単数の語尾である。danke は ich danke. Warszawa jest stolicą Polski（ワルシャワはポーランドの首都である）の stolicą は predicative instrumental と呼ばれる。主格は stolica ストリーツァ。ロシア語 ja byl studéntom（I was a student）の studéntom は studént の instrumental.

Polivanov, Evgenij Dmitrijevič（イェヴゲーニイ・ドミトリイェヴィチ・ポリワーノフ, 1891-1938）。ロシアの言語学者、日本語学者。1921-1926年 Tashkent 大学教授、1929-1931年 Samar-kand 大学教授、1934-1937年 Frunze 大学教授。Vvedenie v jazykoznanie（言語学入門）1928, Moskva 2002². 232pp. ポリワーノフ著、村山七郎編訳『日本語研究』弘文堂、1976, ix, 241頁。巻頭に Nicholas Poppe（1897-1991）の「E.D. ポリワーノフの思い出（1976年3月）」、日本語における音楽的アクセント（1906）、日本語・琉球語音声比較概観（1914）、日本語語源辞典についての暫定報告（1925ごろ）、日本語とアルタイ諸語との親縁関係の問題につい

て（1927）、史的言語学と比較言語学（1928）など17章にまとめている。ポリワーノフは1938年日本のスパイ容疑で銃殺された。1963年に名誉が回復した。E.D. Polivanov, Stat'ji po obščemu jazykoznaniju. Moskva, 1968, 376pp.；E.D. Polivanov, Selected Works. Articles on General Linguistics. Compiled by A.A. Leont'ev. Janua Linguarum, Series Maior, 72. The Hague, Mouton, 1974, 386pp.

popular etymology（民衆語源）。チョッと着るからチョッキ、ズボーンと、はくからズボン。正しくは、チョッキは英語jack（袖なし）、ズボンはフランス語jupon（下のはかま）。一所懸命が一生懸命と字が変わった。tomatoはmala Aethiopica（エチオピアのリンゴ）がイタリア語でpomi dei Mori（沼地のリンゴ）であったが、poma moris, pom amoris（愛のリンゴ）に変わり、英語love apples、ドイツ語Liebesäpfelになった。

Portuguese（ポルトガル語）。ロマンス語の一つ。ポルトガル本国（1000万人）のほかブラジルに1.5億人に話される。わが国との関係は古く、16世紀にbotãoボタン, capaカッパ, Castelaカステラ, confeitoコンペート, cristãoキリシタン, gibãoジュバン, mantoマント, marmeloマルメロ, pãoパン, raxaラシャ, sabãoシャボン, veludoビロード、などが入った。カステラはpão de Castelaカステーリャのパンからきた。Castela（スペイン名Castellaカステーリャ地方）はマドリッドを含むスペインの地方名である。

ポルトガル語の「ありがとう」は男が言うときはobligadoオブリガード、女が言うときはobligadaオブリガーダ、と言う。英語の（I am）obrigedの意味の過去分詞だから。

ポルトガル語は、他のヨーロッパ語には見られない不定詞の人称不定詞（personal infinitive）がある。"he says that we are poor"はêle diz sermos pobresという。sermos "that we are"は"be-we"の意味である。ラテンles, lasのlが消えて、ポルトガル語ではo, a, os, asとなる。Os Lusíadas（ルシタニアの人々）はLuis de Camões

（1524-1580）カモンエスの叙事詩（1572）で、小林英夫ほか訳（岩波書店, 1978）がある。ルシタニア Lusitania はポルトガルのラテン名である。

Pott, August Friedrich（アウグスト・フリードリッヒ・ポット, 1802-1887）。ドイツの言語学者。Berlin で Dr. 取得。1833 年、Halle 大学教授。Etymologische Forschungen（1833-1836；reprint 1999），Die Zigeuner in Europa und Asien（Halle, 1844-1845, reprint Leipzig 1964）. Pott はインド語のすべての方言に通じ、ジプシー語の大著を書いた。Die Personennamen, insbesondere die Familiennamen und ihre Entstehungsarten（1853）.

Pottier, Bernard（ベルナール・ポティエ, 1924-）。ポティエは言語学にさまざまな新機軸を打ち出して、ことばの魔術師のようだ。Paris 第 4 大学 Sorbonne の一般言語学教授。École Pratique des Hautes Études でアメリカ原住民の言語ケチュア語（Quechua）を研究指導している。ロマンス語のうちスペイン語が得意で、Grammaire de l'espagnol, 1969, Que-sais-je? の著書がある（島岡茂訳『スペイン文法』白水社, 1971）。グスターヴ・ギヨーム Gustave Guillaume（1883-1960），ルイ・イェルムスレウ Louis Hjelmslev（1899-1965），リュシアン・テニェール Lucien Tesnière（1893-1954）の言語観をもとに、独自の理論を開発し、音韻論、形態論、統辞論、語彙論、意味論の分野に、巧みな図式を用いて、言語のメカニズムの解明のために新鮮なアプローチを用いてきたが、それらを 1 冊の本に総括したのが、Linguistique générale. Théorie et description. Paris, Klincksieck, 1974, 339pp. である。三宅徳嘉・南館英孝訳『一般言語学—理論と記述』岩波書店, 1984, 18 + 421 頁。その内容は第 1 部：言語活動と意思伝達；第 2 部：概念図式から言語図式へ；第 3 部：言語技能 compétence linguistique. 所記の実質：意味分析, 指称 désignation, 関係 relations（態, 格体系, 視像構成 vision, 統合 intégrations），表示方式 formulations；

所記の形相forme du signifié：統辞モデルmodèles syntaxiques；内的構造structurations internes；差し換え辞substituts；範疇の所記signifié des catégories；構造の線状化linéalisation des structures；能記：音素能記signifiant phonémique, 韻律能記signifiant prosodique；配列能記signifiant tactique；所記の組織signifiant graphique；身振りの組織signifiant mimique；能記のいろいろ。

Pottierは記号と所記・能記の関係を次のようにとらえる。

　　　　　　　　　SIGNE記号
　　　　　　　／　　　　　　　＼
　　signifié所記　　signifiant能記
　　　　／　　　　　　　　　　＼
　substance実質　　　　　forme形相

　ここに所記の実質を研究するのが意味論、所記の形相を研究するのが統辞論、能記を研究するのが能記論（signifiance；これは新語）である。

　所記と能記の対応において、動機づけmotivationが強い場合（＜＋＞）と弱い場合（＜─＞）がある。

	laiterie	librairie	joaillerie	boucherie	
＜＋＞	ミルク店	本屋	宝石店	肉屋	＜─＞
	lait	livre	bijou	viande	
＜＋＞	ミルク	本	宝石		＜─＞
	annuel	nocturne	diurne	hebdomadaire	＜─＞
	年の	夜の	昼の	週の	
＜＋＞	année	nuit	jour	semaine	＜─＞
	年	夜	昼	週	

　アスペクト（aspect）は次の3段階からなる。

/ASPECT/ アスペクト

```
              /          \
        NON なし        OUI あり
   （hors-aspect）アスペクト外  /          \
            imperfectif 未完了的   perfectif 完了的
                              /          \
                  prospectif 前望的   rétrospectif 後望的
```

スペイン語 despierto, despertando, despertar, despertado

目をさましている　起こしながら　起こす　目をさまして

awake　　　　　　waking　　　　wake　　awaken

preposition（前置詞）。前置詞は he comes from the town, she is sitting on a chair のように場所（locative）を表すことが多い。he came in, she went out のように副詞にも用いられる。he stayed inside, she went outdoors のように locative adverbs にもなる。

　ラテン語 gratia …のために，causa …が原因で、は名詞のあとにくる。英語は複合的に despite, behind, in consideration of, for the benefit of …など、多様に用いられる。Hermann Hirt は、印欧語は27個の前置詞をもっていたと考える。G.O.Curme は現代英語には300あり、さらに増加しつつあるという。前置詞は、最も若い文法範疇である。東京で、東京にて、のように、フィンランド語では in Helsinki を Helsingissä, in Tokyo を Tokiossa のように格語尾で示す。ハンガリー語も同様に Budapesten (in Budapest), Tokióban (in Tokyo；外国の地名の格語尾は -ban)。

prepositon が preverb になるもの。ドイツ語 reisen, verreisen（旅行に出かける；er ist verreist 旅行中である）、schlagen 打つ、erchlagen 打ち殺す。ラテン語 com-, ドイツ語 er-, ロシア語 po- は完了の意味をもつようになった。

pronoun（代名詞）は名詞の代わりに、の意味である。太郎は日本人である、彼は学生である。Taro is Japanese, he is a student. 人

称代名詞、指示代名詞、関係代名詞があるが、人称代名詞の特徴は主格と斜格（それ以外の格）が異なる。I, my, me, we, our, us, ラテン語ego, mē, mihi. ロシア語ja, menja, mne. 指示代名詞はthis, that, that overthere, フランス語ce, celui-ci, celui-là, ドイツ語dieser, der da, jener, jener-da. 関係代名詞は、のちに発達した。the book, that（which）is overthere, the book, which I bought yesterday…. whoやwhichを用いるのはラテン語にならった。

punctuation（句読点）：ギリシア語théseis, ラテン語positurae, のちpausationes）。4世紀ラテン語文法家DonatusはArs grammaticaの中でsubdistinctio（high dot ˙）, media distinctio（middle dot ·）, distinctio（low dot .）これらは今日のコンマ、コロン、ピリオドにあたる。日本語は（、）（。）と「」がある。

Puşcariu, Sextil（セクスティル・プシカリウ, 1877-1948）。ルーマニアの言語学者。Leipzig, Vienna, Parisで学び、Die rumänischen Diminutivsuffixe（Leipzig, 1889）で学位をとる。1919年、ルーマニアCluj大学ルーマニア語ルーマニア文学教授。『ルーマニア言語地図』（with S.Pop, E.Petrovici）、Etymologisches Wörterbuch der rumänischen Sprache, I. Lateinisches Element, 1905. Cluj（クルージュ）言語学派の創始者。

Q（文字と発音）。ラテン語のqはo, uの前で用いられ、i, e, aの前ではcが用いられた。イタリア語ではすべての母音の前でcが用いられた（cuore心）。英語はquack, quick, quoteなど［kw］を表すのに用いられる。quickは印欧語*gw-である。ドイツ語Quelle［kv-］（泉）。Paulのドイツ語辞典によるとidg.*gwel- "herabträufeln", altindisch gálati.

quality（音質）。母音はqualityとquantityから定義される。日本語のアイウエオは音質も音量も同じで音量は2倍の長さでアーイーウーエーオーのように発音される。スペイン語mesa（テーブル）とmesta（複数形で、川の合流点）のeは、ともに、［e］

である。

quantity（音量）。英語 bid［bɪd］と bead［bi:d］の相違は音質と音量である。フランス語 maître［mɛ:tr］（教師）と mettre［mɛtr］（置く）は音量の相違があったが、1940年ごろ、ともに［mɛtr］となった。Paul Passy の Petite phonétique comparée des principales langues européennes（Leipsic, 1906, 1922³）では maître［mɛ:tr］「教師」と mettre［mɛtr］「置く」の長短を区別している。

r（発音）。英語の river の r は前舌口蓋（front-palatal）だが、river の語末 r は er［ə］となり子音は消える。フランス語 rose、ドイツ語 Rose の r は uvular R で、ホーズ、ホーゼのように聞こえる。フランス語 rose, Paris の r（uvular r）は18世紀、パリに始まり、ドイツに伝わって、デンマークまで北上した。アメリカでは r が過度（hypercorrect）に起こり、idear（idea of）のように聞こえる。英語 was, were の s と r は Verner' Law（1876）で説明される。

R（文字と発音）。語頭の r はフランス語、ドイツ語、デンマーク語では uvular r（軟口蓋）となり、英語では alveolar r（硬口蓋）となった。英語やドイツ語では、語末の r（-er, -ar, -or）は［ə］に弱化する。reader, Leser（読者）。

Radishchev, Aleksandr Nikolaevich（アレクサンドル・ニコラーイェヴィチ・ラジシチェフ, 1749-1802）。［言語学ではないが、河出書房世界文学全集ロシア古典篇第27巻より］「ペテルブルクからモスクワへの旅」（1790；金子幸彦訳）地主がいかに身勝手で、残酷であるかを語っている。百姓との会話。「おまえさんは、日曜日なのに働いているのかね、しかも、こんなに暑い日なのに」「1週間には、だんなさん、6日しか日がねえですよ。わしらは1週間に6日は賦役（主人の仕事）に出ますでな。晩方には、天気さえよけりゃ、森に残った乾し草をだんなの屋敷に運びますだよ。女や娘どもは日曜ごとに、森のきのこや実をとりに行かされますだよ。どうか、神様のおかげで、今晩は雨になってもらいてえも

んです。だんなさん、おまえさんにも百姓がいたら、百姓たちは
やっぱりおんなじことを祈っているだよ」「わたしは百姓はもっ
ていないよ、おかげで誰にも恨まれることはないさ。おまえさん
の家族は多勢いるのかい?」「せがれ三人、むすめ三人で、一番
上が十でがすよ」「日曜日だけしか休みがないんじゃ、どうして
食べているんだね?」「日曜だけじゃねえですよ、夜もわしらの
もんでさあ。わしらは精出してはたらきさえすりゃ、飢え死にす
ることはねえですよ」「主人の方の仕事もそんな風にしてやって
いるのかね?」「主人のとこじゃ口が一つに、畑で働く手は百も
あるんですよ。わしのとこじゃ口が七つに手が二本しかねえです。
賦役でくたばったって礼を言ってもらえるわけでもなし。だんな
は人頭税を払わねえでしょう。羊も布も、めんどりもバターも、
みんなとりあげちまいますだ。だんなが年貢でとって、ことに管
理人を使わねえでとることじゃ、百姓も楽な方ですよ。そりゃ、
ご親切なだんなになると一人あたり三ルーブリ以上も取り立てる
こともあるですが、それでも賦役よりはええです。」

　この農夫の話はわたしの心に多くのことを考えさせた。おなじ
百姓の身分でも平等ではないこと。国有農民と地主の農民をくら
べた。両方とも村に住んでいるが、一方はきまったものを払えば
よいが、他方は地主の欲するだけ払わなければならない。一方は
自分と同等の者によって裁かれるが、他方は、法律上は、死んだ
も同然である。無慈悲な地主よ、恐れよ、汝の百姓の一人一人の
顔の上にわたしは汝にたいする断罪を見る。

　農奴制（slavery）は1861年、アレクサンドル2世により農奴解
放令（emancipation of farm slaves）が実施された。ラジーシチェ
フは1749年、モスクワ近郊の裕福な地主貴族の家庭に生まれ、
ペテルブルグの貴族学校を卒業したのち、ライプツィヒ大学に留
学し、ライプニッツ、ルソーの啓蒙思想家の本を読んだ。上記の
「ペテルブルグからモスクワへの旅」は農村で、いかなる理不尽

がまかり通っているかを暴いている。

Raetic（ラエティア語）。アルプスの古代ラエティ人（Raeti）の言語。70個の碑文に残る。*branca, *gaba, *carmo, *malga, *barga, *lanka, *palta, *paita, *splengia にはイリュリア語（Ilyrian）の影響が見られる。*gh, *dh, *bh の代わりに g, d, b が見える。上記の *malga はラテン語 mulgeo, 英語 milk にあたる。Rhaetic（スイスの第4言語）とは別物である。

Rask, Rasmus（ラスムス・ラスク, 1787-1832）。デンマークの言語学者。音韻対応（phonetic correspondence, Lautentsprechung）の原理を発見し、Jacob Grimm の法則（Grimm's Law）を生んだ。Undersøgelse om det gamle Nordiske eller Islandske Sprogs Oprindelse. 1818, 12 + 312頁（古代ノルド語またはアイスランド語の起源の研究）副題に Et af det Kongelige Danske Videnskabers-Selskab kronet Prisskrift（デンマーク王立科学協会受賞論文）とある。ラスクの著作全集全3巻のうちの第1巻の1頁から328頁に収められている。その選集にはデンマーク語版とドイツ語版があり、その書名は次の通りである。Rasmus Rask. Udvalgte afhandlinger. Udviget af Det danske Sprog- og Litteraturselskab ved Louis Hjelmslev med indledning af Holger Pedersen. Bind I-III. København, Levin & Munksgaard, 1932-1935, 1192pp.；Rasmus Rask. Ausgewälte Abhandlungen. Hrsg. auf Kosten des Rask-Ørsted fonds auf Anregung von Vilhelm Thomsen für det Danske Sprog- og Litteraturselskab von Louis Hjelmslev mit einer Einleitung von Holger Pedersen. Band I-III. Kopenhagen, Levin & Munksgaard, 1932-1937, 1224頁。

第1巻の pp.vii-xi に刊行者 Hjelmslev の序文、pp.xiii-lxiii に当時 Copenhagen 大学比較言語学教授であった Pedersen による長文の序説があり、本文は3部に分かれる。以下、日本語で。

序文15, 第一部（語源全般について）、第二部（アイスランド語とゲルマン語）、第三部（ゴート語、とくにアイスランド語の

資料）1. グリーンランド語との比較。2. ケルト語との比較。3. バスク語との比較。4. フィンランド語との比較。5. スラヴ語との比較。6. バルト諸語との比較。7. トラキア語（＝ギリシア・ラテン語）との比較。8. アジア諸語との比較。

懸賞問題（1811）はデンマーク語とラテン語で記され、その大意は次のようなものであった。「古代スカンディナビア語（det gamle skandinaviske Sprog, lingua vetus Scandinavica）が、いかなる起源から最も確実に導き出されうるかを歴史的な批判と適切な例をもって説明すること。その言語の性格と、それが最古代から中世にかけて、一方においてはノルド諸語と、他方においてはゲルマン諸語とどのような関係にあったかを述べること。それらすべての言語の由来と比較がどのような原理に基づいてなされねばならないかを正確に規定すること。」

これに答えて著わしたのが本書である。Rask は 1811 年、すでに Vejledning til det Islandske eller gamle Nordiske Sprog. København, lvi + 282pp.「アイスランド語または古代ノルド語入門」の著書があったが、さらに研究を進めるために、1813 年春にアイスランドに渡り、1814 年に懸賞論文をそこからコペンハーゲンに送った。論文は、もちろん、当選したが、出版助成金がおりたのは 1817 年、出版されたのは 1818 年であった。学問の世界では印刷出版年が業績の年度になるので、Rask は Bopp（1816）に 2 年遅れることになった。Bopp は音論をほとんど扱わず、印欧語形態論の解明に終始したのに対し、Rask は比較言語学において最も重要な原理の一つである音韻対応（phonetic correspondence, Lautentsprechung）、すなわち、祖語から個別言語にいたる音変化の規則性を発見した。それは、ギリシア語・ラテン語の子音がゲルマン語でどのように変わるかを示したものである。カッコ内は Pedersen による補足。用例の意味は英語で示す。

p ＞ f：ギ patēr（ラ pater）＞古代ノルド faðir「父」

t ＞ þ：ギ treîs（ラ trēs）＞古代ノルド þrír「三」

k ＞ h：ラ cornū ＞古代ノルド horn つの；ラ cutis ＞古ノ húð「皮膚」

d ＞ t：ギ damáō 馴らす, ラ domō ＞古ノルド tamr「馴れた」

g ＞ k：ギ gynē 女＞古ノルド kona 女；ラ gena ＞古ノ kinn ほお；
　　　　ギ génos 種族＞古代ノルド kyn 家族；ギ agrós, ラ ager 畑＞古
　　　　ノルド akr 野原

ギ ph, ラ f ＞ b：ギ phēgós 樫の木（ラ fāgus ブナ）＞古ノ bók ブナ；
　　　　ギ phérō, ラ ferō 運ぶ＞古ノ bera

ギ th ＞古ノ d：ギ thyrā 戸, ラ forēs そとに＞古ノ dyrr 戸

ギ kh ＞古ノ g：ギ khytó-s 注いだ＞古ノ gjóta 注ぐ；ギ kholē 胆汁
　　　　＞古ノ gall 胆汁；ラ hostis 見知らぬ人、敵＞古ノ gestr 客

　　語中では別の変化が起こる（ここでは省略）。

　　Rask はギリシア語・ラテン語とゲルマン語（ゴート語が中
心）の 352 の語彙を比較している。そのリストは（1）太陽など
の自然 34,（2）動植物 54,（3）人間、服装、状態など 56,（4）道
具 43,（5）形容詞 34,（6）動詞 102,（7）副詞・前置詞など、計
352 個となっている。

　　Rask の発見した音韻対応の原理は印欧語族ののみならず、隣
接するセム語族やウラル語族の研究にとっても、きわめて重要な
意味をもつことになった。言語同族性を決定する最も有力な武器
は、音韻対応にもとづく語彙の形態の対比（lautgesetzliche Wort-
gleichungen）だからである。ただ、Rask はまだサンスクリット
語を利用しておらず、この点では Bopp に劣っていた。しかしバ
ルト語とスラヴ語が、より近い関係にあったこと、リトアニア語
がとくに古い様相を保っていることを認識したのは Rask が最初
であった。

　　この本（1818）よりも早く Rask には『アイスランド語、また
は古代ノルド語入門』Vejledning til det Islandske eller gamle Nor-
diske Sprog（København, 1811；56 頁＋282 頁）があり、これは当

時としては画期的なアイスランド語入門書であり、1818年には
スウェーデン語訳（Anvisning till Isländskan eller Nordiska Forn-
språket（Stockholm, 28 + 300頁） が、1843年にはGeorge Webbe
Dasentによる英訳A Grammar of the Icelandic or Old Norse Tongue
（London, 8 + 272頁；reprint Amsterdam, John Benjamins, 1976；T.
L.Markeyによる "Rasmus Kristian Rask. His Life and Work", 15頁〜
35頁あり）が出版された。ほかに『アングロ・サクソン語文法、
読本つき』（Stockholm, 1817, 8頁＋44頁＋168頁）、その英訳
（1830）、『スペイン語教本』1824、『フリジア語文法』（Copenhagen,
1825; オランダ語訳Leeuwarden, 1832, ドイツ語訳Freiburg, 1834)
など、多くの業績があったにもかかわらず、なかなか大学職に恵
まれず、1831年にようやくCopenhagen大学東洋語教授となり、
翌年のその死まで勤めた。

Rhaetic（ラエティア語）＝Romanche（ロマンシュ語）。

Romance languages（ロマンス諸語）。ローマに由来する言語で、
フランス語、カタラン語、スペイン語、ポルトガル語（以上、西
ロマンス語）、イタリア語、ルーマニア語（以上、東ロマンス語）。
Romanceの用語はRōmānicē loquor（ローマふうに話す）からきて
いる。西ロマンス語の特徴は名詞・形容詞の複数が-sで終わるこ
と、動詞の2人称単数の語尾が-sに終わること。例：スペイン語
lo-s dos libro-s español-es "two Spanish books", vienes "you come"；イ
タリア語は i due libri italiani "the two Italian books"
vieni "you come"（スペイン語などは-sに終わる）

　ロマンス諸語は言語人口約5億で、印欧語族の中ではインド・
イラン諸語、ゲルマン諸語に次いで大きな言語群である。ロマン
ス諸語の出発点となったのは古典ラテン語ではなく、口語のラテ
ン語（＝俗ラテン語Vulgar Latin, spoken Latin）である。

①古典ラテン語domus；俗ラテン語casa「家」→イタリア語casa

②古典ラテン語pulchriorより美しい；俗ラテン語plus bellus→イ

タリア語 più bello

③古典ラテン語 scripsi 私は書いた；俗ラテン語 habeo scriptum →
イタリア語 ho scritto "I have written".

Romanche（ロマンシュ語）はスイスの第4言語（ドイツ語、フ
ランス語、イタリア語についで）で、スイスのグラウビュンデン
州（Graubünden, グリゾン Grison, グリシュン Grishun ともいう）
の州都クール Chur（Coira）郊外、エンガディン Engadin などに5
万人に用いられる。ラテン語 lingua romanica（ローマの言語）の
フランス語形である。1．こんにちは Bun di! ブン・ディ；2．あ
りがとう Grazia! グラーツィア；3．さようなら A revair! ア・レ
ヴァイル（再会を期して）。J.C.Arquint, Vierv ladin. Grammatica el-
ementara dal rumantsch d'Engiadiana. Coira（Chur）1964². 18 + 308 頁。
説明と辞書はドイツ語で書かれている。書名の vierv はラテン語
verbum で「ことば」の意味。この古い意味が残っているのはレ
トロマン語とラテン語からの借用したバスク語である。バスク語
berba「ことば」berba egin 話す（原義：ことばを行う do）。

Romanian（ルーマニア語）。東ロマンス語の一つ。ルーマニア共
和国（首都 Bucharest, Bucureşti；美しい都の意味）の2000万人、
モルドバ共和国の300万人、ユーゴスラビア、ブルガリア、ギリ
シア、アルバニア、アメリカ合衆国、カナダに200万人。

Romany（ロマニー語、ジプシー語）。rom（ジプシー語で「人」
の意味）ジプシーの世界人口は700万から800万人と推定され、
その半分はヨーロッパに住み、さらにその三分の二がバルカン諸
国を含めた東ヨーロッパに集中している（木内信敬『青空と草原
の民族、変貌するジプシー』白水社、1980）。名優ユル・ブリン
ナーを出し、ダンスと占いで知られたジプシーは祖国を持たぬ流
浪の民と呼ばれるが、彼らは紀元1000年ごろ、インド北西部か
ら戦争や飢饉を逃れてアルメニア、トルコ、ギリシア、バルカン
を通ってヨーロッパに移住した。Gypsy は Egypt と同じ語源で、

イギリス人がエジプト起源と考えたためである。ジプシーはドイツ語でツィゴイナー Zigeuner, フランス語でツィガーヌ tsigane, ジプシー自身は Rom と呼んでいる。ヒンドゥー語 Dom と同じで「人」の意味である。

　　H.E.Wedeck, Dictionary of Gypsy Life and Lore. London, Peter Owen, 1973, 518頁, は、私の知る限り、この分野における唯一の事典で、ジプシーの生活と学問に関する1583の項目を英語見出しでアルファベット順に掲げ、数行ないし10数行の解説を与えている。出典や参考書の記載はない。多くは専門誌 Journal of the Gypsy Lore Society（Old Series, Edinburgh, 1888-1892；New Series, Liverpool, 1907-1916, third series, Liverpool, 1992-）からとっているようである。二、三抄訳して紹介する。

<u>census</u>（人口調査）：ジプシーの人口についての公式の調査はないが、ロシアに約100万人、ルーマニア、ハンガリー、ブルガリアに合計約75万人、ギリシア・トルコに約20万人と推定される（木内氏の新しい資料とかなり異なる）。

<u>Gypsy fiction</u>（ジプシーを扱った小説）：アラルコン『ジプシーの予言』、セルバンテス『ジプシーの少女』、D.H.ロレンス『処女とジプシー』、メリメ『カルメン』、ゴーリキー『マカール・チュードラ』、H.E.Wedeck, Dictionary of Gypsy Life and Lore（London, 1973）プーシキン『ジプシー』（詩）など。

<u>proverbs</u>（ことわざ）：ツィガーヌのようににせもの。ジプシーは不潔だが、ジプシーなしに娯楽はない。ジプシー女はみな魔女だ。

<u>riddles</u>（なぞなぞ）：女王の部屋に無断で入り込み、無断で出て行く人はだれか。答えは太陽。

ジプシーの家族（南ドイツ, 1872年ごろ）

root（語根）。単語（word）から prefix, infix, suffix, ending を取り除いたもの。forgive, gift, gifted, giver の give, ride, rode, ridden, road の ride, ラテン語 accipio, concipio の cap-（捕らえる）, deficio の fac-（作る）など。

日本語サクラの語根は「サク」（花咲く）か。2020年、埼玉県所沢市の角川武蔵野ミュージアム5階にレストラン Sakula Diner があり、Sakula の語源を尋ねたら、sa + culture とのことだった。

Rosetta stone（ロゼッタ・ストーン）。エジプトのロゼッタで1799年に発見された石柱。紀元前196年にプトレマイオス5世がメンフィスで出した勅令が刻まれた石碑。1802年、大英博物館に展示されている。フランスの Jean François Champollion が解読した。

Rosetti, Alexandru（アレクサンドル・ロゼッティ, 1895-1990）。
ルーマニアの言語学者。パリの高等学院、ソルボンヌで研究。
1933年、ブカレスト大学言語学と一般音声学教授、1946年、ブ
カレスト大学長。雑誌Acta Linguistica（Copenhagen）, Archiv für
vergleichende Phonetik（Hamburg）, Word（New York）のeditorの一
人。著書はLectures of General Linguistics（1930）, The History of
the Romanian Language（1938）, The Southern Slav Languages（1940）,
Le mot, esquisse d'une théorie générale（1946）, Mélanges de linguis-
tique et de philologie（1947）.

Rousselot, Jean Pierre（ジャン・ピエール・ルスロー, 1846-1924）。
フランスの音声学者。Collège de France（Paris）で実験音声学
（experimental phonetics）を指導。実験音声学と近代音声学の創始
者。Recherches de phonétique expérimentale（1891）; Principes de
phonétique expérimentale（1897-1908）.

Russian（ロシア語）。東スラヴ語（大ロシア語、白ロシア語、ウ
クライナ語）の中で最大の言語。言語人口1億5500万人。ロシア
連邦内に1億2500万人、ウクライナ（1200万）、カザフスタン
（800万）、ベラルーシ（350万）、ウズベキスタン（250万）、ラト
ビア（100万）、キルギスタン（100万）、モルドバ（60万）、アゼ
ルバイジャン（50万）、タジキスタン（50万）、トルクメニスタ
ン（40万）、リトアニア（35万）、アルメニア（5万）、アメリカ
合衆国（25万）、カナダ（5万）。ロシア文学の父プーシキン
（A.S. Pushkin, 1799-1837）をはじめ多くのすぐれた作家の言語。
最古文献の一つに『イーゴリ遠征物語』（Slovo o polku Igoreve, 12
世紀末成立, 木村彰一訳, 岩波文庫, 1983）がある。18世紀ピョー
トル大帝の時代にモスクワ方言が標準語として確立した。ロシア
語から世界中に広まった単語にbalalaika, intelligentsia, perestroika,
pogrom, samovar, sputnik, steppe, troika, tundra, vodkaがあり、1947
年以後、シベリア抑留の日本人捕虜が持ち帰ったダモイ（damoj,

帰国）、ノルマ（norma, 仕事の割り当て）がある。

S（文字と発音）。sはサシスセソ、sea, see, isoglossのs音で、voiceless sibilant（無声歯擦音）である。sとhは近い関係にあり、ラテン語septemはギリシア語heptá（heptagon 7角形）となる。stの音結合で、フランス語ではtが消える。festa, testaのsが消えてフランス語fête, têteとなる。英語forest, haste, roastにはフランス語forêt, hâte, rôtirには消えてしまったsが残っている。ラテン語、ギリシア語にはšの音がない。英語ash, shame, ドイツ語Schnee, schlafen, 英語passion, special, nationにšがある。

Sakaki, Ryozaburo（榊亮三郎, 1872-1946）。京都帝国大学教授（1907-1932）。『解説梵語学』1907, 1950³（266頁＋語彙124頁）この語彙は変化、語源もついていて、類書のStenzlerやBühlerよりもずっと便利。

sandhi（サンディー：連声法）。sam-dhā 'putting together' からきた用語。フランス語のle oncle［ル・オンクル］がリエゾンによりl'oncle［ロンクル］となるのと類似の現象である。イタリアの印欧言語学者ジュリアーノ・ボンファンテ（Giuliano Bonfante, 1904-2005）はsyntactic phoneticsと呼ぶ。sandhiはeuphony（好音法）である。サンスクリット語na asti iha→nāstīha 'he is not here'. フランス語a-t-il 'has he?', le-s-arbres［le-zarbr］'the trees'. サンスクリット語では、語頭、語末に起こるので、簡単なテキストを読む場合にも、規則を覚えておかねばならない（conditio sine qua non）。sovāca ソーヴァーチャ＝sā uvāca 'she said'.

Sardinian（サルディニア語）。イタリアのサルディニア島（Sardegna）に160万人に話される。ラテン語に最も近いロマンス語。ラテン語のcentum（100）がイタリア語ではcento チェントとなったが、サルデーニア語ではchentu ケントゥ、で［k］が残っている。菅田茂昭『サルジニア語』早稲田大学出版部, 2021, 137頁。サルディニア語cras「明日」, domo「家」はラテン語cras, domusで、

163

古語が残る。イタリア語はdomani, casaである。

satem languages（サテム語）。印欧諸語の中で、「100」を表す単語がcentum（ラテン語）地域とsatem（古代インド語śatám）地域がある。satem地域はインド語のほかにアルメニア語、スラヴ語がある（アルメニア語tasn, ロシア語désjat'デシャチ）。

Saussure, Ferdinand de（フェルディナン・ド・ソシュール, 1857-1913）。スイスの言語学者。Geneva, Leipzig, Berlinに学び、1881-1891年ParisのÉcole des Hautes Étudesでゴ ー ト 語 お よ びAlthochdeutschを教え、1891年Genève大学のサンスクリット語および印欧言語学助教授、1901年にその正教授となり、1906-1907-1908年、1908-1909年、1910-1911年に一般言語学の講義を行った。Saussureのこの3回の一般言語学の講義は弟子のCharles Bally（バイイ；1865-1947）と Albert Sechehaye（セシュエ；1870-1946）が学生たちの筆記ノートから再構成したものである。フランス語原著最新版はCours de linguistique générale. Édition critique préparée par Tullio de Mauroによる序文（pp.1-18）、本文（pp.1-317）、付録（pp.319-495；de MauroによるSaussureの伝記, 注, 参考書目）、索引の計510頁からなる。de Mauroのイタリア語訳Corso di linguistica generale di Ferdinand de Saussureは現時最良のものとされる。日本だって負けてはいない。小林英夫（1903-1978）は世界に先駆けて、1928年、ソシュール『言語学原論』（1928）を出版した。Kobayashi Hideo参照。

ソシュールの言語学はlangueラングとparoleパロール、phonetics音声学とphonology音韻論、diachronic linguistics（通時言語学、歴史言語学）とsynchronic linguistics（共時言語学）からなる。ソシュールからフランスの社会言語学（Meillet, Vendryes, Grammont）、文体論（Bally, Sechehaye）、プラーグの音韻論（Trubetzkoy, Jakobson, Trnka）、デンマーク（Hjelmslev, Brøndal）、アメリカの構造主義（部分的）が発達した。ドイツの文体論（Vossler,

Spitzer）とイタリアの新言語学（neolinguisti）は影響外にあった。Saussureの処女作Mémoire sur le système primitif des voyelles dans les langues indo-européennes（1879）は印欧語のAblautを扱った、先駆的なものである。

Scherer, Wilhelm（ヴィルヘルム・シェーラー, 1841-1886）。ドイツの言語学者、文学史家。Vienna, Berlinで学び、1868年、ウィーンでゲルマン言語学教授。1872年、Strasbourg大学教授。ここで多くの学生を教えた。1887年、ベルリン大学教授。言語学にとって重要なのはZur Geschichte der deutschen Sprache（1868）で、ドイツ語の歴史だけでなく、言語理論にとっても重要であった。

Schleicher, August（アウグスト・シュライヒャー, 1821-1868）。ドイツの言語学者。印欧諸言語は、一本の木の幹から大きな枝が2本に分かれ、それぞれの枝から、さらに小さな枝が分かれ、さらに、より小さな枝に分かれて、今日の印欧諸語が生じたとする説。Die Darwinische Theorie und die Sprachwissenschaft（Weimar, 1863）。Darwinの進化論を言語の発達に転用したものである。Compendium der vergleichenden Grammatik der indogermanischen Sprachen（Weimar, 1861-1862）の中で、「印欧語」で寓話を再構成（reconstruct）した。本書p.2参照。

Schmidt, Johannes（ヨハネス・シュミット, 1843-1901）。ドイツの言語学者。Bonn, Graz, Berlinで教えた。恩師SchleicherのStammbaumtheorie（系統樹説）に対して、言語は水面に波が広がるように発達するという波動説（Wellentheorie）を提唱し、言語地理学への道を開いた。Die Verwandtschaftsverhältnisse der indogermanischen Sprachen（Weimar, 1872）；Die Pluralbildungen der indogermanischen Neutra（Weimar, 1889）.

Schrader, Otto（オットー・シュラーダー, 1855-1919）。ドイツの言語学者、民族学者。1887-1909年Jenaで、1909-1919年Breslau

で教えた。イタリア、ロシアを旅行し、linguistic paleontology（言語古生物学）を開発した。印欧語民族の植物、動物の用語を探究し、Rudolf Meringerの「語と物words and things」の考え方につながった。Sprachvergleichung und Urgeschichte（1883）, Reallexikon der indogermanischen Altertumskunde（1901）.

Schrijnen, Jozef（ヨゼフ・スフレイネン, 1869-1938）。オランダの言語学者。Louvain と Paris に学び、1912年Utrecht大学員外教授（extraordinarius）、1923年、Nijmegenカトリック大学学長。主著 Italische Dialektgeographie（1922）, Einführung in das Studium der indogermanischen Sprachen（W.Fischerがオランダ語からドイツ語に訳し、Heidelbergの有名なCarl Winterから1924年に出版された）。

Schuchardt, Hugo（フーゴー・シュハート, 1842-1927；Vilhelm Thomsenと同じ生没年）。ドイツの言語学者。Jenaの August Schleicher と Bonn の F.Diezのもとで学んだ。俗ラテン語の母音 Der Vokalismus des Vulgärlateins（3巻, 1866-1869）、19世紀と20世紀の言語学者が避けてきた言語の混交（Kreolische Studien, 1882, Slawo-deutsches und Slawo-italienisches, 1884）を書いた。Schuchardtの生誕80歳を記念して、教え子Leo Spitzerが、恩師の珠玉の論文のエッセンスを14章に集約した。書名は、Hugo-Schuchardt-Brevier. Ein Vademecum der allgemeinen Sprachwissenschaft. Zusammengestellt und eingeleitet von Leo Spitzer. 1.Aufl. 1922, 2. erweiterte Auflage, Halle a.Saale, Max Niemeyer Verlag, 1928, 483pp. Reprint Darmstadt, Wissenschaftliche Buchgesellschaft, 1976. 著者の770点に及ぶ著書、論文、書評の中にはロマンス語学、バスク語、クレオール研究、音変化、語源、言語混交など、一般言語学の見地からも、今日なお傾聴すべき多くが含まれており、本書に収められているのは「音法則について」のように37頁の長いものから、わずか2, 3行の短いものまで、大小さまざまである。バスク語関係の論文が104もある。

内容は次の14章に分けられる。1. 音変化：音法則について。
2. 語源と単語研究、事物と単語。フランス語mauvaisとラテン
語malefatius. 3. 言語混合。4. 言語親族性：ロマンス諸方言の分
類について；言語親族性；バスク語と一般言語学。5. 原始的親
族性；起源；歴史的に親族なのか、基本的に親族なのか。6. 言
語起源。i述語 ii主語 iii目的語；言語起源；iiiの補説。所有的と
受動的。7. 一般言語学について。8. 言語と思想。9. 言語史と言
語記述。10. 言語学と民族学、人類学、文化史の関係。11. 言語と
国民性。12. 言語政策と言語教育。13. 言語治療。14. 学問一般。
言語研究における個性。

1. の「音法則について Über die Lautgesetze, 1885」は青年文法学
派Junggrammatiker の「音法則に例外なし Ausnahmslosigkeit der
Lautgesetze」に反対したものである。音法則は一定の地域、一定
の時期、一定の音的環境においてのみ有効なものであり、その例
外は類推などの心理的要因によって説明される。方言形は地域と
いう条件によって説明される。Schuchardt は Der Vokalismus des
Vulgärlateins（3 Bde. 1866-1868）という大著の著者であり、俗ラ
テン語から個々のロマンス語に発展する過程で、青年文法学派の
説くような機械的な音変化に該当しない多くの事例を知っていた。

3. 言語混交 Sprachmischung, language mixture. Max Müller や Wil-
liam D. Whitney が真の言語混合はありえないと主張した時代に、
どの言語も、多かれ少なかれ、混合的gemischt, mixedであり、言
語混合は心理的なものではなく、社会現象であると述べた。Es
gibt keine völlig ungemischte Sprache 完全に混合的でない言語はな
い。混合語の典型はクレオール語であり、その研究は『スラヴ・
ドイツとスラヴ・イタリア』Slawo-deutsches und Slawo-italien-
isches（Graz, 1884）にまとめられており、その100年後の今日、
ふたたび学者たちの関心を集めている。

4. 言語親族性Sprachverwandtschaft. 方言 Dialekt と言語Sprache は

相対的な概念であり、相互の理解が不可能になった場合に、方言が言語に昇格すると主張するならば、それは何の議論にもならぬ。なぜなら、理解ができる、できないは、個人により異なり、理解の度合いにも無限の差があるからだ。バントゥー語の数を1言語としたり、24言語としたり、多くの学者は350から700の間を動揺している。

　Schuchardt は歴史的geschichtlich 親族性と基本的elementar 親族性を区別する。ロマンス諸語の間には歴史的ないし、系譜的genealogisch な親族性がある。しかし擬音語や小児語Lallwörter（パパ、ママなど）の場合は、系統の異なる言語間にも共通のものが見られる。その場合、そこには、人間言語一般として、基本的な親族関係がある、elementarverwandt であるという。ロシア語では「私たちは座る」my sadímsja ムイ・サディームサといい、この-sjaは不定詞およびすべての人称に共通である。ドイツ語はwir setzen uns といい、この再帰代名詞 uns は人称によって変わる。ロシア語（ないしスラヴ語）に隣接している地域では、その影響でwir setzen sich という。ところが、ロシア語の影響が考えられないようなドイツ語域において sich が用いられるような場合、そこには、人間共通の心理に基づく基本的な親族性（elementar verwandt）が働いているという。しかし、この用語は、その後、用いられなくなった。

　Schuchardt は、また、バスク語の専門家であり、バスク語とイベリア語に関する論文は104点に達する。「バスク語と一般言語学 Das Baskische und die Sprachwissenschaft, 1925」はバスク語を材料に、多くの一般言語学の問題を研究している。「言語の本質的な特徴は語彙の中にではなく、文法の中にある。文法は、いわば、骨であり、語彙は肉である。そして神経は内的形式の中にある。In der Grammatik, nicht im Wortschatz, lägen die wesentlichen Merkmale einer Sprache；dort seien die Knochen, hier das Fleisch. Und wo bleiben die Nerven? sie würden in den inneren Formen ihre Entspechung haben」。そして、この内的形式にこそ、彼の言う基本的親族性である。日本人も外国人も神経は共通だ。

　Schuchardtはバスク語研究からコーカサス諸語の研究に移り、両言語に共通する能格ergativeの現象を受動態で解明passivische Verbalauffassungしようとした。Über den passiven Charakter des Transitivs in den kaukasischen Sprachen, Wien, 1895. たとえば「私は家を持っている I have a house」は、バスク語では Nik etxea dutニク・エチェア・ドゥットという。このnikはni（私）の能格、etxeaエチェア（家）は主格。バスク語では他動詞の主語は能格に、目的語は主格に立つ。これは能格言語の一般的特徴である。このnikを by me に置き換えて、文全体を by me is-had a house とすれば、能格と主格の関係が、一応、理論的に説明できる。しかしバスク語の動詞定形は、あくまでも I-have-it に相当するものであり、Schuchardtが、そのバスク語入門 Primitiae Linguae Vasconum（Halle, 1923）の中で実践しているように、Gizon batek zituen bi semeギソン・バテク・シトゥエン・ビ・シェメ 'Ein Mann hatte zwei Söhne'（Luke 15, 11）のzituen（he had them）を sie-wurden gehabt-von ihm とするのは行き過ぎだ。彼のイベリア語＝バスク語という考え方も、Humboldt同様に間違っていた。

　なお、本書には詳しい事項索引がついているので、種々の問題について、彼の見解を知ることができる。Schuchardtの研究は一般言語学の、ほとんどあらゆる問題にわたっていた。青年文法学派たちの言語学の主流のそとにあって、独自の言語研究と観察を行ったSchuchardtを亀井孝（一橋大学）は「圏外の精神」と呼んだ（『言語研究』57, 1970）。

Scythian（スキュタイ語）。南ロシアの、コーカサスとダニューブDanubeの間に住んでいた強大な民族スキュタイ人の言語。現代のオセット語（Ossetic）にあたる。スキュタイ語は人名に残る。

Enárees（Anárees）は andrógynoi（'men-women', Herodotus による）
または anandoriées（'man-less', Hippokrates による）。イラン語 nar-
（'man'）、と a-（ギリシア語 a-、否定）。Crimea 半島は Ardabda と呼
ばれたが、これは Avesta 語の hapta-（'seven', ギリシア語 heptá, ラ
テン語 septem）と ərədwa-（'high, noble, exalted', ラテン語 arduus,
ギリシア語 orthós）。黒海の名 Póntos Eú-kseinos（ラテン語 Pontus
Euxinus）は古くは否定の a-kseinos で 'inhospitable' であったが、
taboo のために 'hospitable, good for foreigners' の意味になった。

Sechehaye, Albert（アルベール・セシュエ, 1870-1946）。スイス
の言語学者。ソシュールの langue を研究した（parole よりも）。
主要著作は、Programme et méthode de la linguistique théorique,
psychologie du langage（1908）, La stylistique et la linguistique
théorique（1908）, Les règles de la grammaire et la vie du langage
（1914）, La méthode constructive en syntaxe（1916-1917）, Les deux
types de la phrase（1920）, L'école genevoise de linguistique générale
（1926）, La pensée et la langue, ou comment concevoir le rapport or-
ganique de l'individuel et du social dans le langage（1933）. Charles
Bally とともに Saussure の講義録 Cours de linguistique générale
（1916）を出版した。

semantics（意味論）。単語の意味、文中の単語の意味を扱う。ギ
リシア人は外国人を barbaroi "stammerers"（どもる人）と呼んだ。
「蝶々チョウチョウ」をギリシア人は psyche プシューケー（魂）
と呼んだ。英語 butterfly は魔女がチョウの姿をしてバターやミル
クを盗むという伝説らしい。ドイツ語 Schmetterling は Schmetten
（クリーム）に指小辞 -ling（Jüngling 若者）がついた。フランス語
papillon パピヨンはラテン語 papilio（擬音語か）より。スペイン
語の「蝶々」mariposa は童謡 María, pósate「マリア、お止まり、
飛ばないで」からきた。この例は人間の想像力の広さを語ってい
る。

sentence（文）。主語と述語（名詞と動詞）からなる。He is young のように、動詞はbeでもよい。動詞だけの場合もある。ラテン語 pluit 'it rains'. Fire! Help! John! Poor man! Alas! もある。

Serbo-Croatian（セルボ・クロアチア語）。南スラヴ語の一つ。セルビア、クロアチア、ボスニア、ヘルツェゴビナに1300万人に用いられる。ギリシア正教徒のセルビア人はキリル文字（ロシア文字）を用い、カトリック系のクロアチア人はラテン文字を用いる。4種の音楽的なアクセントをもち、印欧祖語の名残りをとどめている。rúka「手」、knjïga「本」。1991年に両国が分離してからは、セルビア語とクロアチア語は別々に分けて論じられる。

Setälä, Emil Nestor（エミール・ネストル・セタラ, 1864-1935）。フィンランドの言語学者で政治家。1893-1929年、Helsinki大学フィンランド語教授。1917-1918, 1925年、文部大臣。フィンランド大使としてCopenhagenとBudapestに駐在（1927-1930）。1926年からÅbo大学長。1930年からFinnish-Ugric Instituteの研究所長。フィン・ウゴル語の子音交替Über Quantitätswechsel im Finnisch-Ugrischen（1890-1891）、フィンランド語におけるゲルマン語からの借用語を扱ったZur Frage und Chronologie der älteren germanischen Lehnwörter in den ostseefinnischen Sprachenがある。

Sicel（シケル語）。前イタリック諸語の一つで、紀元前5世紀にシチリア島に行われていた。リグリア語（Ligurian）と同系。12個ほどの碑文に伝えられる。kámpos, kátinos, géla, gérra, rhêges, léporis, moîton, kárkaron, póltos, panía, kórnos lítra, ogkía, kýbiton, patána, nummus, arbínnē, látaks, uítulos, rhogós はラテン語に近いことを示している。シケル語は印欧語民族の侵入、次いでイタリック語、オスク・ウンブリア語の波に消滅してしまった。Lágesis（ギリシア語Lákhesis）、Doukétios（Peucetii）はイリュリア語Illyrian、またはリグリア語Ligurianとの関連を示している。

Sievers, Eduard（エドゥアルト・ジーファース, 1850-1932）。ド

イツの言語学者。音声学原論（Grundzüge der Phonetik, 1874）は
Phonetik よりは Phonologie（音韻論）とすべき内容で、印欧語の
Lautlehre（音論）入門となった。音分析（phonoanalysis）は Streit-
berg 祝賀論文集 Stand und Aufgaben der Sprachwissenschaft（1924）
に入っている。Vilhelm Thomsen のゲルマン語のフィン語に対す
る影響（1869）のドイツ語訳も Sievers による。

Sittig, Ernst（エルンスト・ジッティヒ, 1887-1955）。ドイツの言
語学者。1926年 Königsberg 大学教授、1929年 Tübingen 大学教授。
Corpus inscriptionum graecarum, Corpus inscriptionum etruscarum
（Prussia 科学アカデミー）；Litauische Dialekte（1928-1931），
Litauisch（1935）．

Slavic（スラヴ語）。ゲルマン語、ロマンス語に次いでヨーロッ
パで3番目に大きな言語群。言語総人口3億3450万人。発祥地は
カルパチア山脈の北方、東ポーランド、西ウクライナと考えられ、
ここから東スラヴ、西スラヴ、南スラヴの三つに分かれた。最古
の言語は西暦9世紀の古代教会スラヴ語（Old Church Slavic,
Altkirchenslavisch）で、13の文学語があるが、方言分化の度合い
が浅く、語彙の80%が共通している。特徴は1. 口蓋化 palatal-
ization（p-pj, t-tj, k-kj プ-ピ、トゥ-ティ、ク-キ）などの対立（対
立は意味の変化を伴う）。2. 豊富な子音連続（dl-, sr-, tkn-, vstr-
なども語頭に立ちうる）。3. 豊富な屈折（6~7格、6個の人称形）。
4. 動詞のアスペクト（一般的に書く、特定的に書く、毎日書く、
今日書くの「書く」が接頭辞の有無によって区別される。

Slovak（スロバキア語）。西スラヴ語の一つ。スロバキア共和国、
ハンガリーの北部に450万人に用いられる。Slov は Slav と同じ。
チェコ語と同じ特徴が見られる。アクセントが語頭にある（ハン
ガリー語も同じ）。*tort, *tolt が trot, tlat に。g が有声のh に
（Praga → Praha）。plny（'full'）が polny に、krk（'throat'）が kark に。

Slovenian（スロベニア語）。南スラヴ語の一つ。スロベニア共和

国（首都リュブリャナ Ljubljana, ドイツ名ライバハ Laibach；Tolminで2000年、世界俳句大会第1回が開催された）に180万人に用いられる。スラヴ語比較文法（4巻）の著者ミクロシチ Franz Miklosich（1813-1891）は、Slovenia出身。

Slovintsian（スロヴィンツ語）。西スラヴ語の一つ。F.Lorentz の Slovinsische Grammatik（1903）によると、話者は200~250人。

social layers in language（with Marxian linguistics）。言語における社会の層。言語は地理的な相違のほかに、階層による相違がある。イギリスの Cockney コックニーはロンドン東部に住む低い社会の人々の用いる英語で、work, bird, shirt が woik, boid, shoit のように発音される。ローマの低い階級の人たちは casa, caballus, focus, manduca, bellus と言っていた（のちのロマンス語の前身である）。正しいラテン語は domus, equus, ignis, comedo, formosus である。

　言語学における Marxism. ソ連の言語学者ニコライ・マル（Nikolai Yakovlevich Marr, 1864-1934）はコーカサスの言語を研究していたが、南コーカサス語（グルジア語）がセム語系統の言語に近いと考えたために、セムの弟の名ヤフェトをとってヤフェト語族とし、さらに、バスク語、エトルリア語、ヒッタイト語、ウラルトゥ語、エラム語をもその中に入れ、ついに世界のすべての言語の中にヤフェト的要素を発見した。そして、このヤフェト語が一般人間言語の特定の発展段階と考えられるようになった。しかし、時の人、スターリンが1950年、ソ連共産党新聞「プラウダ」で、これを否定したために、ソ連の言語学は、従来の、西欧の言語学に戻ることができた（村山七郎）。N.Ja.Marr et Maurice Brière, La langue géorgienne. Paris, Firmin-Didot, 1931.

Sommer, Ferdinand（フェルディナント・ゾマー, 1875-1962）。ドイツの言語学者。1899年 Leipzig で Privatdozent（私講師）、Basel で教授、Rostock, Jena, Bonn, 1926年 München 大学教授。Handbuch der lateinischen Laut- und Formenlehre（1902）はラテン

語研究者に必携書。Vergleichende Syntax der Schulsprachen（Deutsch, Französisch, Englisch, Lateinisch, Griechisch）1921. ヒッタイト語の印欧語所属をいち早く認め、Hethiter und Hethitisch（1947）, Hethitische Texte を刊行（1962以後 A.Debrunner とともに）、雑誌 Indogermanische Forschungen, Grundriss der indogermanischen Sprach- und Altertumskunde（Berlin）を刊行。印欧言語学を学ぶのに、ギリシア語ほど適した言語はないという。

Sommerfelt, Alf（アルフ・ソンメルフェルト, 1892-1965）。ノルウェーの言語学者。1931年 Oslo 大学一般言語学教授。ケルト語とゲルマン言語学が専門。La langue et la socété（1936）はオーストラリアの原住民の言語、Aranda アランダ語を研究し、言語と話者の mental level の関係を明らかにした。第8回国際言語学者会議が Oslo で1957年に開催されたとき、主催者の Sommerfelt は、数名の学者とともに泉井久之助を私宅に招いた。

Sorbian（ソルブ語）。西スラヴ語の一つ。ドイツ中東部と北西チェコおよび南西ポーランドの国境地帯、シュプレー（Spree, Spriewa）河畔に5万人に話される。主要都市は Bautzen（高 Lusatia）と Cottbus（低 Lusatia）。ルザティア語（ラウジッツ Lausitz 語）、ヴェンド語 Wendisch ともいう。ドイツ語化がはげしい。アクセントは第1音節にある。これはドイツ語、その影響を受けたチェコ語と同様である。チェコ語が trat であるのに対して trot となる。

sound symbolism（音表徴）。バン、ドカン、ガラガラ、ゴロゴロ、ザーザーなど音を言語で表現すること。onomatopoeia のフランス語 onomatopé オノマトペともいう。

Spanish（スペイン語）。イベリア半島にはスペイン語とポルトガル語が用いられる。イベロ・ロマンス語ともいう。言語人口3億。スペインの標準語を castellano カステリャーノという。カステーリャ Castella 地方の言語の意味である。スペイン語 castillo は「城」の意味。スペイン本国に3000万、中南米のほぼ全域（ブラ

ジルを除く）、アメリカ合衆国（1700万）、フィリピン（50万）に話される。最古文献は『わがシッドの歌』（Cantar de mio Cid, 12世紀、cidはアラビア語で英雄の意味）。8世紀から15世紀にかけてムーア人（アラビア語を話す）の支配下にあったために、多くのアラビア語が入り、アラビアの医学や文芸が導入された。alcohol, algebra, alkaliのal-はアラビア語の定冠詞で、ここから全ヨーロッパに広まった。canyon, guerrilla, hacienda, patio, siesta, rodeo, tornado, vanillaなどもスペイン語から英語（potatoはインディアン語からスペイン語）に入り、その多くは日本語にも採り入れられた。イタリア語がlibro複数libri, rosa複数roseのように、語尾の母音が変わるが、スペイン語・ポルトガル語はlibros, livros, rosasのように-sで作る。フランス語も同じ。

Specht, Franz（フランツ・シュペヒト、1888-1949）。ドイツの言語学者。1923年Halle大学の印欧言語学教授、1937年Breslau大学、1943年Berlin大学、1946年Mainz大学教授。A.Baranowskiのリトアニア方言テキストを出版（1922-1924）、この序文にリトアニア語文法と言語学的な注釈を載せ、リトアニア語方言学の基礎を築いた。Märchen der Weltliteraturの叢書にリトアニアとラトビア民話をドイツ語訳で載せた。主著 Der Ursprung der indogermanischen Deklination（1944）は印欧語民族の文化を探究し、天体、自然、動物、植物、身体部分名、家族、車を調査し、Spiegel der indogermanischen Kultur を明らかにせんとした。

spelling（綴り字）。Leicester, Worcester, cough, knight, know, naughty, thoughを見ると、発音が非常に異なっていることが分かる。これは当時の発音のまま、書かれて、そのまま綴り字が残ったためである。日本語の「お菓子を」の「おo」と「をwo」が同じ発音になってしまったが、文字でその違いを保存している。英語bide, hide, wifeのiは二重母音［ai］になったが、綴り字はもとのままになっている。開いた音節でも、machineのようなフランス語か

らきたものには適用されない。前舌母音の前のgeese, gild, begin, get, giftは［g］だが、フランス語からきたgeneral, giganticは［dž］になった（フランス語はjour, journal［ž］）。debtはフランス語detteの綴り字だったが、ラテン語debitumを意識してdebtになったが、発音は［det］である。George Bernard Shawはthru, boro, altho（through, borough, althoughの代わりに）を用いたが、定着しなかった。H.W.FowlerのA Dictionary of Modern English Usageはアメリカの綴り字labor, color, endeavorを推奨したが、イギリスには定着しなかった。

Spitzer, Leo（レオ・シュピッツァー, 1887-1960）。オーストリアの言語学者。1913年以後Wien, Bonn, Marburg, Köln, Istanbulで教えたあと、1936年アメリカに渡りJohns Hopkins大学言語学教授になった。Benedetto Croce, Karl Vosslerを師とした。Die Wortbildung als stilistisches Mittel, exemplifiziert an Rabelais（1910）. Henri Barbusse, Jules Romain, Charles Péguy, Marcel Proustの文体を研究した。Aufsätze zur romanischen Syntax und Stilistik（1918）, Lexikalisches aus dem Katalanischen und den übrigen iberoromanischen Sprachen（1921）, Linguistics and Literary Semantics（1948）, A Method of Interpreting Literature（1949）があり、一般言語学的に有益なHugo Schuchardt-Brevier（1922；第2版増補版1928）がある。

Steinthal, Heymann（ハイマン・シュタインタール, 1823-1899）。ドイツの言語学者。1852-1855年Parisで中国語を研究。1863年Berlin大学員外教授（extra-ordinary professor）。E.Cassirer, W.Porzig, Leo Weisgerberに刺激を与えた。主要著作はDie Sprachwissenschaft Wilhelm von Humboldts und hegelsche Philosophie（1848）, Die Classification der Sprachen dargestellt als die Entwicklung der Schrift（1852）, Die Entwicklung der Schrift（1852）, Charakteristik der hauptsächlichsten Typen des Sprachbaus（1860）, Geschichte der Sprachwissenschaft bei den Griechen und Römern（1863）.

Stenzler, Adolf Friedrich（アドルフ・フリードリッヒ・シュテンツラー , 1807-1887)。1833年以後Breslau大学教授。長い間教科書として用いられている教科書の著者。Elementarbuch der Sanskritsprache. Grammatik, Texte, Wörterbuch. Berlin, 13.Aufl. 1952, 18.Aufl. 1996. Grammatik 1-66, Übungsbeispiele 66-71, Lesestücke 72-90, Wörterbuch 91-120.

Streitberg, Wilhelm（ヴィルヘルム・シュトライトベルク , 1864-1925)。ドイツの言語学者。ゴート語のga-（perfektivierendes Präfix, 1889；Perfektive und imperfektive Aktionsart im Germanischen, Paul und Braunes Beiträge 15, 70-177）で学界に登場。ゴート語sitan "sit", ga-sitan "sit down" における ga- を perfektivierendes ga- と呼び、ドイツ語のgekauft, gekommenの接頭辞につなげている。Freiburg, Leipzig, Münster, Münchenで 教 え た 後、1920年、Karl Brugmannの後任としてLeipzig大学教授。Urgermanische Grammatik（1896, 第4版1974, Heidelberg, Carl Winter）は Laut- und Akzentlehre, Formenlehre でSyntaxはないが、Hermann HirtのHandbuch des Urgermanischen（1931-1934, 3巻）の第3巻にSyntaxがある。Gotische Bibel（1908-1910）はテキスト、ギリシア語つき、語彙つきで、最良の入門書になった。1896年、叢書Germanische Bibliothekを開始、ここから重要なゲルマン語関係の書物が出版された。1912年Karl Brugmann, Jacob Wackernagel と Indogermanische Gesellschaftを創設。同時にIndogermanisches Jahrbuchを刊行（Albert Thumbと、のちにA.Waldeが加わる）。

structural linguistics（構造言語学)。19世紀の歴史言語学に対して20世紀の言語学はSaussure に始まる構造言語学が中心になった。Roman Jakobson, Nikolai Trubetzkoy のプラーグ言語学、アメリカのJules Bloch, Leonard Bloomfield（主著Languageの第1部は構造言語学、第2部は歴史言語学）によって普及した。戦後、日本の学者はアメリカに留学し、その機会のなかった者は、こぞっ

てBloomfieldを読んだ。文法のうちの音論（phonology）と形態論（morphology）が中心の課題となる。peel, pill, pale, pole, pool, pull；pill, bill, bale, ball, boil, bull…；cow, cows, ox, oxen…；cut（he cuts, he cutが現在と過去の相違を示す）。

subordination（従属；ギリシア語hypotaxis）。a mother who has a childとすれば従属だが、mother and childとすれば並置（coordination）となる。a mother with a childとすれば形容語句となる。hurry up, it is getting lateでは平叙文が並置している。let him talk, it will do no harmも同様である。Platon, Demosthenes, IsocratesはHomerosよりも多くsubordinationを用いた。Cicero, TacitusはPlautusよりも多くsubordinationを用いた。subordinationは冷静な表現に用いられ、coordinationは単純なenergeticな表現である。

substratum, superstratum, adstratum（基層、上層、側層）。フランス語はガリア語（ケルト語）の上に勝利者として乗り、ガリア語はその下積みになった。この場合、ガリア語は基層言語という。フランス語のuがüになったのはガリア語の影響とされる（ラテン語lunaルーナがフランス語luneリュヌとなった）。英語war, wardがフランス語guerre, guaranteeになるのは英語が勝利者としてフランス語の上に乗った（superstratum）。I have a book, I have written a letterのような現在完了はフランス語j'ai un livre, j'ai écrit une lettreの表現を模倣したもので、superstratumの例である。フランス語le chien, un chien=ドイツ語der Hund, ein Hund, フランス語j'ai vu=ドイツ語ich habe gesehen, フランス語il est allé=ドイツ語er ist gegangen, フランス語il a est été tué=ドイツ語er ist getötet worden, フランス語je verrai=ドイツ語ich werde sehenは側層（adstratum, Marius Valkhof, 1932, の用語）。superstratumの例：フランスでフランク語（ドイツ語）、スペインでゴート語、のちアラビア語、ロシアでノルド語（北欧語）、のち、タタール語、ギリシアでトルコ語とベネチア語（Venetian, イタリー）。ブルガリア語

はギリシア語の影響を受け、ルーマニア語はスラヴ語の影響を受けた（adstratum）。

syllable（音節）。あったat-ta, 買った（勝った）kat-ta, 勝つka-tsuのように音節が分けられる。ラテン語amorはa-mor, イタリア語amoreはa-mo-re, フランス語a-mour, ドイツ語Lie-be, lie-ben, 英語love, love-lyだが、lov-able, fa-therだが、moth-erのように短母音の次に子音をつなげる現象をà coupe-forte「固いつなぎ；Jespersenの fester Anschluss」といい、fa-therの場合を「ゆるいつなぎà coupe-faible, loser Anschluss」という。ゆるいつなぎの場合は音節が母音で切れるが、固いつなぎの場合は子音を前の音節に食い込ませる。英語はtyp-i-calだが、ドイツ語はty-pisch, フランス語はty-piqueで、yのつなぎがゆるいので、pは次の音節にくる。（下宮「言語と民話」2021, p.4)

syntax（統辞論）はgrammarのphonology（音論）、morphology（形態論）とともに文法の三つの部門をなす。He writes a letter. において、he, write-s, a let-terと分析して6個に分けるのが音論、writesをwrite-sに分けるのが形態論、主語＋動詞＋目的語に分けるのが統辞論である。he writes a letter so that he can get her replyとすれば、so that以下はsyntaxに入る。syn-taxは「一緒につなげる」の意味。une femme aimante（愛情豊かな女）はsyntax of wordsだが、une femme aimant ses enfants（子供を愛する女）はsyntax of phraseにあたる。

t（発音）。声門閉鎖音p,t,kはb,d,gと並んで、最も確立度の高い音である。pill, kill, till, pale, kale, tale. 英語top［tʰɔp］ と stop［stɔp］の有気と無気（aspirated and non-aspirated）は意味の相違を生じないので、音韻論外的（ausserphonologisch）という。

T（文字と発音）。tはdental stop（歯音、閉鎖音）と定義される。p, t, k（唇音、歯音、硬口蓋音）の一員である。ギリシア語th（the-ater, orthodox）は無声帯気音（unvoiced aspirate）だった。綴り字

th（thick, thorn, mouth）は interdental [θ] を表す。フランス語 théâtre の th は [t]、ドイツ語 Theater の th は [tʰ] である。ギリシア語の th はロシア語では f となる。Theodor=Fëdor フィヨードル。

taboo, linguistic（言語のタブー；遠回しの言い方）。便所と言わずにトイレと言ったり、英語では rest-room（休憩室）と言ったりする。1975年3月、アイスランドのレイキャビクを訪れたとき、バス旅行でトイレの入り口に Adam（男性用）、Eve（女性用）と書いてあった。フランス語 toilette は「化粧室」の意味である。toile「布」の指示形である。イタリア語では il luogo「場所」、ドイツ語では Abort（離れた場所）という。

tense and aspect（時制とアスペクト）。英語は現在、過去、未来の三つの時制をもっている。aspect は完了（perfect）か未完了（im-perfect）、あるいは一回的（once, one-time, ロシア語 odno-krat-nyj）か多回的（many-time, repetition, ロシア語 mnogo-kratnyj）を表す。I go to school every day（ロシア語 ja xodžu）に対し、I have to go to town today は特定の動作なので、完了体動詞で表す（ja idú または ja poidú）。ドイツ語は ich gehe jeden Tag zur Schule も ich gehe heute in die Stadt も同じ動詞を用いる。フランス語 je vais tous les jours à l'école, je vais en ville aujourd'hui も同じ動詞を用いる。英語 They hunted down the bear は完了的だが、They hunted all day. は不完了的である。I write vs. I am writing, I wrote vs. I have written, I had written. 両者を単語で区別することが出来る。to talk vs. to say, to look vs. to see, to hear vs. listen, to walk vs. to go.

Tesnière, Lucien（リュシアン・テニエール, 1893-1954）。フランスの言語学者。スラヴ語の言語地理学的研究から出発し、A. Meillet の Les langues dans l'Europe nouvelle（Paris, 1928²；大野俊一訳『ヨーロッパの諸言語』三省堂, 1943）に協力した Tesnière は、彼が知っているすべての言語の分析に適用しうる一般統辞論（syntaxe générale）の建設を目指して完成したのが Éléments de

syntaxe structurale（2-ième édition revue et corrigée, Paris, 1966, qua-
trième tirage 1982, 26 + 674 pp.）であるが、出版されたのは没後5
年であった。序文を寄せたゲルマン語学者 Jean Fourquet（Sor-
bonne)は、Charles Bally の Linguistique générale et linguistique française
（1932）を読んだときと同じような感激を受けたと書いている。
小泉保監訳『構造統語論要説』研究社、2007, 26 + 769 頁、があ
る。もと、スラヴ語研究から出発したので、スロベニアの詩人オ
トン・ジュパンチチ Oton Joupantchitch, poète slovène, l'homme et
l'œuvre（Paris, 1931, xv, 383pp.）のような大きな著作もある。
　フランス語の文 Les petits ruisseaux font les grandes rivières.（小
さな川が大きな川を作る）を構造的序列（ordre structural）で示
すと、次のようになる。

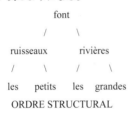

　　　　　　ORDRE STRUCTURAL
また、線的序列（ordre linéaire）で示すと次のようになる。
<u>Les petits ruisseaux font les grandes rivières.</u>（通常の文）
　図系（stemma 枝分れ図）は 366 個にのぼる。用例はフランス語
を主としているが、英語、ドイツ語、ロシア語、ラテン語、ギリ
シア語もかなり用いられており、印欧語以外のものでは、ヘブラ
イ語、トルコ語、グルジア語、バスク語も折にふれて援用されて
いる。それらは、この理論のよりよい理解のための有効な手段で
あり、テニエールの一般統辞論建設のための努力を示している。
　ドイツ語の統辞構造の記述法に用いられる依存関係文法（De-
pendenzgrammatik）は Tesnière に由来するもので、たとえば、Der
fleissige Student kauft ein deutsches Buch（勤勉な学生がドイツ語の

本を買う）という文は次のような図で表される。動詞定形が結線
の階層の頂点にくることに注意。（結線を / \ で示した）

```
                    kauft
                 /         \
           Student          Buch
          /      \        /      \
        der   fleissige  ein   deutsches
```

　本書のロシア語訳（by I.M.Bogulavskij et al. Osnovy strukturnogo
sintaksisa. Moscow, Progress, 1988, 654pp. は、解説のほかに原著者
の肖像画を収めている。

theories of language origin（言語の起源説）はプラトーン、アリ
ストテレスから Ernest Renan, Otto Jespersen にいたるまで、多くの
言語学者が説明してきた。ギリシアの哲学者はもともと「自然に
あった physei」のか「慣習からあった thései」のか、という議論
があった。イギリスの言語学者 Jean Aitchison, Uncovering language
origin and evolution（2008, International Congress of Linguists,
Seoul）は protolanguage が25万年前、アフリカに言語が full lan-
guage として発達していたと述べた。

Thomas, André Antoine（アンドレ・アントワーヌ・トマ, 1857-
1935）。フランスの文献学者、言語学者。ドイツの新文法学派の
音法則を尊寿し、語の意味よりも音を重視した。Essais de philo-
logie française（1897）, Mélanges d'étymologie française（1902）. Ar-
sène Darmesteter, Adolphe Hatzfeld と一緒に Dictionnaire générale de
la langue française（1889-1900）を出版した。

Thracian（トラキア語）。バルカン半島北部に行われた印欧語族
中の一言語で、20個ほどの出土品中の碑文により知られる。

Thumb, Albert（アルベルト・トゥンプ, 1865-1915）。ドイツの言
語学者。Berlin で現代ギリシア語を学び、1889 年10月 Studien-
reise nach Griechenland. Strasbourg（Strassburg）。大学教授。古代

ギリシア語および現代ギリシア語の最高権威であった。Die griechische Sprache im Zeitalter des Hellenismus, Beiträge zur Geschichte und Beurteilung der Koiné (1901), Handbuch der griechischen Dialekte (1909, revised and enlarged by E. Kieckers 1932), Handbuch der neugriechischen Volkssprache (1895), Handbuch des Sanskrit (1905), Grammatik der neugriechischen Volkssprache (1915). Indogermanische Gesellschaftの促進に貢献した (K.Brugmann)。

Thurneysen, Rudolf (ルードルフ・トゥルンアイゼン, 1857-1940)。スイスの言語学者、文献学者。Leipzigで古典学と印欧言語学を研究。Jena, Freiburg, Bonnで教えた。Handbuch des Altirischen (1909) は古代アイルランド語入門の最良の本で、英語訳が出た (by Bergin, 1948)。Die irische Helden- und Königssage bis zum 17. Jahrhundert (1921)。

Thurneysen's Law　ゴート語mildiþa-auþida, waldufni-fraistubni, agisa-hatizaにおける dissimilation des spirantes (Mossé §52)。

tmesis (分断挿入)。Wackernagel, Jacobを見よ。

Tovar, Antonio (アントニオ・トバール, 1911-1985)。スペインの言語学者。サラマンカ大学教授、のち学長。学長時代、サラマンカ大学にバスク語の講座を設置、最初の教授にLuis Michelenaルイス・ミチェレナ (1915-1987) を任命。ミチェレナはバスク人であるという理由で、マドリッドで獄中生活を送る。獄中で博士論文Fonética Histórica Vasca (1961, 1977[2]：596pp.) を完成。のちサラマンカ大学印欧言語学教授となる。Tovarは古典学者であったが、スペインの古代語、バスク語も研究。Estudios sobre las primitivas lenguas hispánicas (1949), La lengua vasca. (Monografías Vascongadas, 2, 1954[2]), The Ancient Languages of Spain and Portugal (1961), El lingüísta español Lorenzo Hervás. Estudio y selección de obras básicas. I. Catalogo delle lingue. Madrid, 1986. 1982年8月、国際言語学者会議 (第13回、東京) でhistorical linguisticsのplenary reporterとして講演した。

Trautmann, Reinhold（ラインホルト・トラウトマン, 1883-1951)。
1911年、Praha大学スラヴ研究所所長、Königsberg, Leipzig, Jena
大学教授。Baltisch-Slavisches Wörterbuch. Göttingen, 1923, viii, 382
pp. Die altpreussischen Sprachdenkmäler（1910), Die slavischen Völk-
er und Sprachen（1947).

Trombetti, Alfredo（アルフレード・トロンベッティ, 1866-1929)。
イタリアの言語学者。Bologna大学セム文献学教授。世界の言語
は一つである（monogenismo del linguaggio, 1905)と説いたが、
これは不可能であり、音素（20個ないし40個)は共通するが、
その組み合わせは言語により異なる（Gyula Décsy)。

Trubetzkoy, Nikolai Sergejevič（ニコライ・セルゲーイェヴィチ・
トゥルベツコイ, 1890-1938)。ロシア、オーストリアの言語学者。
主著は遺稿となった『音韻論の原理』Grundzüge der Phonologie
（Travaux du Cercle Linguistique de Prague, 7, Praha, 1939, 272pp.
2.Aufl. Göttingen, Vandenhoeck & Ruprecht, 1958, 298pp.)で、長嶋
善郎訳『音韻論の原理』岩波書店, 1980, 11 + 377頁がある。内容
はEinleitung：1. Phonologie und Phonetik. 2. Phonologie und Lauts-
tilistik. **Phonologie**. Vorbemerkungen. Die Unterscheidungslehre（＝
die distinktive bedeutungsunterscheidende Schallfunktion)弁別論＝
弁別的音機能、すなわち、意味を区別する音機能。I. Grundbe-
griffe. II. Regeln für die Bestimmung der Phoneme. III. Logische Ein-
teilung der distinktiven Oppositionen. IV. Phonologische Systematik der
distinktiven Schallgegensätze. V. Arten der Aufhebung distinktiver Ge-
gensätze. VI. Die Phonemverbindungen. VII. Zur phonologischen
Statistik. **Die Abgrenzungslehre**（=die delimitative oder abgrenzende
Schallfunktion. 境界画定論＝限界的音機能、すなわち境を画定
する音機能。I. Vorbemerkungen. II. Phonematische und aphonema-
tische Grenzsignale. III. Einzelsignale und Grundsignale. IV. Positive

und negative Grenzsignale. V. Verwendung der Grenzsignale. Terminologischer Index, Sprachen-Index. 第2版（1958）には、下記が追加収録されている(pp.262-288)。Phonologie und Sprachgeographie, Gedanken über Morphonologie, Autobiographische Notizen von N.S.Trubetzkoy（mitgeteilt von R.Jakobson）.

用語を定義しておく。音声学Phonetik=発話行為Sprechakt, parole の音論（Trubetzkoy）

音韻論Phonologie=言語構成体（Sprachgebilde, langue）の音論（Trubetzkoy）；音韻論＝機能的音声学（functional phonetics, A.Martinet）

音韻的（弁別的）対立。英語right-light, rice-lice, rate-lateにおいてrとlは意味の相違をもたらす。すなわち、音韻的（弁別的）対立をなす。rとlは英語においては音素として機能する。しかし日本語においては音韻的対立をなさない。日本語には英語にないa＼me（雨）とa／me（飴）のような高低アクセントが音韻的対立をなす。日本語のrとl, 高低アクセントについてはTrubetzkoyが言及している。

弁別的対立の中和（Aufhebung der phonologischen Gegensätze）。ドイツ語やロシア語ではp-b, t-d, k-gの対立が中和（無効化）する。ドイツ語Rat［ra:t］助言、Rad［ra:t］車輪、対立が消えるが、属格des Rates助言の, des Rades車輪の、においては、対立が復活する。

境界信号（Grenzsignal）。ドイツ語では「子音＋h」は意味単位の境界を示す。ein Haus（一軒の家）、Wahr-heit（真理）。チェコ語では、強さアクセントが単語の第一音節にくるので、これが（英語の場合と異なり、意味を区別することはできないが）語の境界を示す。'Československo チェコスロバキア, 'do Československaチェコスロバキアへ。

Trubetzkoyはモスクワの名門貴族の出身で、父親はモスクワ大

学哲学教授（のち学長）。14歳でモスクワ民族学会に入会、1808-1814年、モスクワ大学のVitold Porzeziński のもとで印欧言語学（サンスクリット語、アヴェスタ語）を専攻した。民族学会会長のVsevolod Fjodorovič Miller（イラン語）に1912年夏、コーカサスにある別荘に招かれ、コーカサス地方のチェルケス語（Circassian, Tscherkessisch）のフィールドワークを行うようすすめられた。チェルケス人の村Tuapseで採録したが、第一次世界大戦、ロシア革命、南ロシア市民戦争などのために、ノートがすべて失われた。20年後、記憶が消えないうちに、確実な内容だけをここに書きとどめた、と書いている。1934年、Erinnerungen an einen Aufenthalt bei den Tscherkessen des Kreises Tuapse（Caucasica 11, Leipzig, 1934, 1-39）に印刷された。その中から民話ボルコ（Bolko）の歌を記す。夕方、暗くなったとき、外で決闘を申し込む人がいる。年老いた妻に相談すると、彼女は言った。「あなたが若いときから英雄だということは、だれでも知っています。家にいて、絹のベッドの上で静かにしていらっしゃい」。次に若いほうの妻が言うには「あなたが英雄ならば、決闘の挑戦を無視することはできないはずです」。私は武装して馬で出発した。夜明け前、騎兵隊に出会ったとき、最後の騎手を挑戦者と思い、矢を放った。おお、神に呪われた不幸なボルコよ！　私は自分の一人息子を殺してしまったのだ…たとえ醜くとも、年老いた夫人の忠告を無視してはならない。また、若く美しく優雅に見える夫人の言葉は信用できないことがある。

Trubetzkoyは1913-1914年、給費生としてLeipzigに留学、K. Brugmann, A.Leskien, E.Windischらの講義を聴講し、演習に参加した。1916年には講義許可（venia legendi）を得て、私講師（Privatdozent）としてモスクワ大学に専任として就職するはずであった。しかし、1917年の革命で一切を失った。1920年ごろ、Sofiaに難を逃れて、スラヴ学助教授であった時代にEuropa i

čelovečestvo（ドイツ語訳 Europa und die Menschheit, München, 1922）
が ある。その 後、1922年、Wien大学 の Vatroslav Jagić（1838-1923）から招聘を受け、その後任として、32歳でスラヴ学教授に就任した。スラヴ語研究は比較的遅くに始めたため、当時、この分野での論文はまだ6点しかなく、そのうち4点は10頁に満たない短いものであった。著書数冊、論文数十点が相場の教授職としては、異例の人事であった。

　生活の安定を得た Trubetzkoy は、古代教会スラヴ語研究と、1928年ごろから、Praha の Roman Jakobson からの誘いに応じて、プラーグ学派的音韻論を開発し、死の病床についた後は、妻Vera Trubetzkaja に口述筆記させて、あと20頁ほどで完成というところで没した（angina pectoris 狭心症）。1938年6月25日。ナチスの大学研究室荒らしが病状を悪化させた。『音韻論の原理』は200言語の音韻体系をもとに音韻論の原理を構築したものであるが、原稿の推敲を経ておらず、著者は、このあと、引用文献を追加し、序文と Jakobson への献辞を添える予定であったという。戦火の中に原稿が紛失することを恐れて、Jakobson はそのまま印刷に付した。

　著者は、本書を完成したあと、『音韻論の原理』第2巻「史的音韻論、音韻地理学、形態音韻論、言語の音韻体系と文字の関係」に取り組む予定であったという。

U（文字と発音）。i,a,uは母音の主要な音で、アラビア語は3母音なので、iとe、uとoの区別がない。ラテン語ではuとvが同じに発音された。vinum を VINVM、iugum を IVGVM と書いた。中世英語ではvは語頭に用い（vnder, vse）、語中にはuと書いた。vnder, vseだが、語中では cure, full, huge.　しかし saue, euer, giuen も見られた。語中のuはb, pの後では bull, pull, put［u］だが、bun, but［ʌ］の例外もある。

Uhlenbeck, Christianus Cornelis（クリスチャヌス・コルネリス・

ユーレンベック，1866-1951）。オランダの言語学者。印欧言語学、バスク語、アメリカン・インディアン語。第1回国際言語学者会議（Hague, 1928）を主催。1905-1906バスク語のフィールドワーク。1910-1911アメリカ・モンタナ州のBlackfoot Indiansをフィールドワーク。Amsterdam大学サンスクリット語教授。Etymologisches Wörterbuch der gotischen Sprache（1898-1899），Kurzgefasstes etymologisches Wörterbuch der altindischen Sprache（2巻，1899），Karakteristiek der baskische grammatica（1911），Some general aspects of Blackfoot morphology（1914）. 名前のUhlenbeckはEulenbach（フクロウの小川）の意味。

Ukrainian（ウクライナ語）。東スラヴ語の一つ。ウクライナ共和国（首都Kiev）の公用語。言語人口4200万。小ロシア語（Little Russian, Kleinrussisch）ともいう。昔はルテニア語と呼ばれた。ロシア語でbúdu pisát'（I'll write）というところを、ロマンス語式の未来形pisati-mu（j'écrir-ai）を用いる。ロシア語の「紙」bumága に対して西欧式にpapírという。「ありがとう」dyákuyuジャークユは、ポーランド語djękujęジェンクーイェンと同様、ドイツ語dankeからの借用で、語尾だけがウクライナ語である。これに対してロシア語はspasíbo（＜spasí bo神よ、救い給え）という。I have a bookのロシア語はu menjá kníga ウ・メニャ・クニーガだが、ウクライナ語はja maju knižku ヤ・マユ・クニーシクと西欧式にいう（maju 'I have'）Stepan von Smal-Stockyj, Ruthenische Grammatik（Sammlung Göschen, Berlin-Leipzig, 1913；語形成 Wortbildung の項がよくできている）。中井正夫『ウクライナ語入門』大学書林 1991, 2007³；220頁。Jaroslav B. Rudnyćkyj, Lehrbuch der ukrainischen Sprache. Otto Harrassowitz, Wiesbaden, 1992⁵. Ukraína の語源はu-krai-na（Umgegend周辺地域）。iotacization（iota化）が起こる。Rim（Roma），khid（ロシア語khod ホト；歩行）、xlïb（ロシア語 khleb フリェープ；ゴート語hlaifs より；英語loaf）。

ウクライナはヒマワリの国。ソ連の集団農場政策により食料上納1932-1933年、飢饉のために数百万人が餓死。これはgenocideだとソルジェニーツィンSolženitsynが2008年に告発。国民詩人Taras Shevchenko（1814-1861）。2022年2月24日、ウクライナは理由なしに、ロシアの独裁者プーチン（1952-）から侵攻と爆撃、破壊、殺人を受け、ゼレンスキー大統領（1978-）は善戦中である。

V（文字と発音）。ラテン語vはuと書かれ、uinumはイタリア語vinoになった。古代英語はwīnと書かれ、のちにwine［wain］の発音になった。フランス語vin, ドイツ語Weinはlabio-dental（唇歯音）だが、スペイン語vinoはbilabial fricative（両唇摩擦音）である。ギリシア文字b（beta）はb［v］の音になったため、ロシア語は［b］のために新しい文字Б［b］を作った。

Van Ginneken, Jac（ヤク・ファン・ヒネケン, 1877-1945）。オランダの言語学者。Leiden大学でC.C.Uhlenbeck（ユーレンベック）から印欧言語学、バスク語、アメリカ・インディアン語に関心をもち、1923年、Nijmegen（ネイメヘン）のローマカトリック大学のオランダ語学文学・印欧語比較言語学・サンスクリット語教授。Principes de linguistique psychologique. Essai de synthèse. Amsterdam, Paris, Leipzig 1907, 8 + 552頁。1907年の学位論文。青年文法学派の 'yoke' からの解放とNeolinguistsとの融合を試みた著作（Jan Noordegraafによる）。泉井久之助は『言語構造論』（1947, p.109）の中でJac. van Ginneken, De ontwikkelingsgeschiedenis van de systemen der menschelijke taalklanken.（Amsterdam, 1932）を引用している。人間言語の音韻体系の歴史をたどると、古代と近代とでは大きい差異が認められる。近代の言語では母音が音韻体系中の重要な位置を占めて、子音はむしろ副次的な位置におとされている。種類と頻度が減ったばかりでなく、時間的にも母音に比して遥かに短い。これに反して古代の言語でその音韻

体系に優位を占めていたのは子音であって、母音は全くないか、あるいはあっても、音韻としての機能は低かった（セム語の場合）。

Vasmer, Max（マックス・ファスマー, 1886-1962）。ドイツのスラヴ語学者。戦前、ペテルブルグで Jan Baudouin de Courtenay に、その後、Shakhmatov に、クラクフで Rozwadowski に、Wien で Rudolf Meringer に学ぶ。1921-1925年 Leipzig 大学教授、1925年以後 Berlin 大学教授。1949年以後西ベルリン自由大学教授。第二次世界大戦中、ベルリンで焼失した『ロシア語語源辞典』のカードを再度資料収集から始め、1950-1958年に3巻『ロシア語語源辞典』を完成した。モスクワでロシア語訳が出たほどである（by O.N.Trubačëv トルバチョフ, 4巻, Moscow, 1964-1973）。

Vendryes, Joseph（ジョセフ・ヴァンドリエス, 1875-1960）。フランスの言語学者、ケルト語学者。Antoine Meillet, D'Arbois de Jubainville のもとで学ぶ。パリのエコル・デ・ゼチュドでケルト語主任。1944年 Sorbonne 大学学長。主著 La grammaire comparée du vieil-irlandais（1908）, Le langage, introduction linguistique à l'histoire（1921）, Traité de grammaire comparée des langues classiques（1924）. 戦後の困難な時代に、1948年、国際言語学者会議（第6回）をパリで開催した。

Venetic（ヴェネト語）。北東イタリアの Veneti 族の言語。173個の短い碑文と人名、地名に残る。イリュリア語（Illyrian）に近く、mexo はドイツ語 mich を思わせる。sselboi sselboi（sibi ipsi）はドイツ語 selb, selbo（selbst）、英語 self である。人名 Volti-χenei はギリシア語 eu-genēs, ラテン語 beni-gnus（よい生まれの）にあたる。ラテン語 amātur の -r 受動態をもっている。

Verner, Karl（カール・ヴェルナー, 1846-1896）。デンマークの言語学者。Verner's Law の発見者として知られる。1888年コペンハーゲン大学スラヴ語教授。ある日、いつもは数名の学生しかい

ないのに、大勢の学生が詰めかけていた。隣室で評判のGeorg Brandesブランデス教授の「19世紀文学思潮」の学生が、入りきれず、隣室の講義室になだれ込んでいたのだった。

Verner's Law（ヴェルナーの法則）。ある晩、Boppの印欧語比較文法を昼寝しながら読んでいた。サンスクリット語pitár（父）がドイツ語でVaterになるのに、bhrátar（兄弟）がドイツ語でBruderになるのは、なぜだろう、と思いながら寝てしまった。目をさまして、サンスクリット語のアクセントの位置を確認すると、この発見を恩師Vilhelm Thomsen（1842-1927）に話した。トムセンは驚いて、その発見をデンマーク語ではなく、ドイツ語で発表するようにすすめた。Vernerは Kuhns Zeitschrift（比較言語学雑誌）の第23巻（1876）に Eine ausnahme der ersten lautverschiebung（第一音韻推移の例外）という控え目な題名で発表した。グリムの法則を補ったという意味でGrimm-Verner's Lawと言うべきではないだろうか、と Otto Jespersen は書いている（Language, 1922）。

アクセントの位置によって有声音とか無声音になる例は、英語 execute [éksikju:t] に対し executive [egzékjutiv]，ドイツ語Hannover [-nó:fə] に対し Hannoveraner [-vərá:nə]。

voice（声、有声）。音声学の用語で、有声（voiced）と無声（voice-less）に分けられる。b, d, gが有声、p, t, kが無声である。

voiceless and voiced（無声と有声；清音と濁音）。カキクケコとガギグゲゴは無声と有声で音素の役割を果たしている。タメ tamé とダメ damé は無声と有声で意味が異なる。phonetic（音声的）ではなく、phonemic（音韻的）であるという。

世の中は、澄むと濁るの、違いにて、ためになる人、だめになる人（阿刀田高、読売新聞、2011年3月1日）。tamé（good）、damé（not good）、福（fuku）に徳（toku）あり、ふぐ（fugu）に毒（doku）あり（2011年10月4日、天声人語）。2004年6月、プサン行きの飛行機を探していた。インターネットではPusanでは

なく、Busanである。中学生のころ、東京都町田市に住んでいたのだが、朝鮮人の子供がバカのことをパカと言っていた。

朝鮮語の語頭のb, d, g, jは無声音である。baは［pa］、darは［tal］、gomは［kom］、janは［tʃan］。朝鮮語には、日本語のような、無声と有声の対立はない。日本語のgeta下駄が朝鮮語でkedaとなる（河野六郎「朝鮮語」、市河三喜・服部四郎編『世界言語概説』下巻、研究社1955）。国連事務総長パン・ギムンはBan Kimunと書く。リビアのカダフィを現地の人はガダフィと発音していた。

2008年7月、ソウルでの国際言語学者会議からの帰り、ソウルの仁川（インチョン）空港の案内嬢にJALはどこですか、と尋ねたら、チャルはあそこです、と言われた。

2012年10月、横浜中華街の中国人店主が、客に「おあしはいかがですか」と聞いていた。「お味は」である。

スウェーデン語bank（銀行）、bänk（ベンチ）はフィンランド語に借用されてpankki, penkkiとなる。

Vossler, Karl（カール・フォスラー, 1872-1949）。ドイツの文献学者、言語学者。1911年、München大学教授。言語を審美的・文化的aesthetic-culturalな観点から研究した。Positivismus und Idealismus in der Sprachwissenschaft（1908）, Frankreichs Kultur in der Sprache（1913）, Neue Denkformen im Vulgärlatein（1922）, Geist und Kultur in der Sprache（1925）. 小林英夫訳『言語美学』小山書店1935.

vowels and consonants（母音と子音）。基本母音はi, e, a, o, uであるが、実際には多くの変種がある。vowelはラテン語vocalis（声の）、consonantは「母音と一緒になって響くもの」の意味である。子音p, t, k, b, d, gは閉鎖音（stops）、f, v, θ, ð, s, z, ʃ, ʒ, tʃ, dʒは摩擦音（fricatives）ないし破擦音（affricates）、m,n,l,rは流音（liquids）、ほかにh（無声摩擦音voiceless fricative）がある。

Paul Passy の『ヨーロッパの主要な言語の比較音声学』Petite phonétique comparée des principales langues européennes（Leipsic et Berlin, 1906, 1922³；132頁）はとてもよくできていて、1930の国際音声文字に、ほとんどそのまま生かされている。

W（文字）。ラテン語には w の文字はなかった。ワインは uuinum と書いた。ギリシア語は woinos だが、この w は F のような文字を書いたが、まもなく、発音されなくなり、oinos になった。英語の w は両唇音だが、ドイツ語 Wein（ワイン）の w は両唇摩擦音なので、ヴァインと発音する。ポーランドの Warszawa はヴァルシャヴァとワルシャワの中間、ロシアの Moskva はモスクヴァとモスクワの中間である。

Wackernagel, Jacob（ヤーコプ・ヴァッカーナーゲル, 1853-1938）。ドイツの印欧言語学者。スイスの Basel にゲルマニストで詩人の Wilhelm Wackernagel（1806-1869）の息子として生まれ、教父は Jacob Grimm であった。Göttingen の Theodor Benfey（1809-1881）のもとでサンスクリット語と比較言語学を学び、Leipzig で August Leskien のもとで、1876年には Oxford で学んだ。1876年、故郷 Basel で古典文献学の私講師（Privatdozent）、1881年、Basel 大学、ギリシア語・ギリシア文学教授。1902年 Wilhelm Schulze（1863-1935）の後任として Göttingen 大学の比較言語学教授になったが、1915年、言語学および古典文献学教授として再び Basel 大学に戻り1936年の退官までそこにとどまった。主著 Altindische Grammatik3巻（1896-1930）、および Kleine Schriften（1905頁；1955-1979）3巻はゆかりの深い Göttingen で出版されている。Vorlesungen über Syntax mit besonderer Berücksichtigung von Griechisch, Lateinisch und Deutsch（2巻, 1924-1924, 1926-1928²）は講義録で、印欧語の Syntax としては Delbrück のものがほとんど唯一であった当時、学界にも学生にも大いに歓迎された。その他の主要論文は没後 Kleine Schriften3巻（1955-1979；1905頁）に収められ

た。

Wackernagels Gesetz（ヴァッカーナーゲルの法則）。印欧語の語順の法則（Über ein Gesetz der indogermanischen Wortstellung, Indogermanische Forschungen, 1, 333-436, 1892）。アクセントのない小辞（particle, enclitic）や代名詞は文の2番目の位置にくる。(1) ギリシア語mén, dé（ところで、しかし、一方）, gár（というのは）など。例：kreíssōn *gàr* basileús（Iliad, A80, というのは王さまのほうが強いから）, (2) ゴート語ab-*uh*-standiþそして彼は倒れる。uh「そして」が接頭辞abと基本語の間に挿入される。(3) 古代インド語ápa *ca* tíṣṭhati「そして彼は倒れる」ca「そして」はギリシア語te, ラテン語-que, ゴート語uhと同根。(4) 古代アイルランド語do-*s*-beir＜*to *sons* bhéreti「彼らはそれら（sons）をもってくる」このsはdo（'to'）とbeirの間に挿入される。この現象をtmesis（分断挿入）という。(5) 古代ロシア語věra *bo* naša světŭ jesti「というのは（bo）、われらの信仰は光であるから」（英語学人名辞典、研究社、1995, p.373）

White Russian（白ロシア語；ベラルーシ語）。東スラヴ語。ロシア語のd', t'（d, tの口蓋化palatalized）が前舌母音の前でdz, tsとなる。これをdzekanie, cekanieという。ロ den'［d'en'ジェニ］「日」＝べ dzen'ヅェニ；ロ tixa［t'ixaチーハ］「静かな」＝べ cíxa［tsí:xaツィーハ］。白ロシア語のことをbelarusskaja movaベラルースカヤ・モヴァというが、このmova（言語）はウクライナ語と共通で、ロシア語ではjazykイェズイクとなる。ロシア語の疑問語li（…か；フランス語est ce que）がベラルーシ語ではci［tsi］となり、ポーランド語のczy［チイ］に近い。「どこに（いるか）」のロシア語gde?［グジェ］はベラルーシ語ではdze?［ヅェ］となる。

word（語、単語）は単純語（simple word）、派生語（derivative）、複合語（compound）がある。man（人）は単純語だが、manly（男らしい）は派生語、manhood（成年男性、男らしさ）も派生語、

man-eater（人食い、動物あるいは人間）は複合語。day は単純語、
daily（日々の）は派生語、daybreak（夜明け）は複合語。

words of foreign origin（外国起源の単語、外来語 foreign words）。
英語はフランス語、ラテン語、ギリシア語から多くを採り入れた。
英語2万語を語源的に分けると、1. 本来の英語 English proper が
25%；2. ラテン系（ラテン、フランス、イタリア語）50%；3.
ギリシア語10%；4. ノルド語 Nordic5%；5. その他の言語
10%；合計100%となる。

1. の本来の英語、在来語（native word）は2000年前から英語に
存在している（英語の文献が始まるのは8世紀）。ドイツ語やデ
ンマーク語と共通の a, the, my, house, good, come, go のような基本
語。

2. のラテン系というのは、ラテン語から派生した言語で、フラ
ンス語が圧倒的に多いが、ラテン語から直接入ったものも多い。
フランス語を経て英語に入ったのか、ラテン語から直接入った
のか、判別しにくい場合もある。hotel（ホテル）と hospital（病
院）はともにラテン語 hospitalis（客をもてなす, hospitable, friend-
ly）からきたものだが、ホテルはフランス語発の世界共通語とな
り、hospital（病院）は古代フランス語 hospital から入ったので、
-s- が残っている。現代のフランス語は hôpital（オピタル）と書
いて -s- が消えている。debt［det］（借金）はフランス語 dette
［dɛt］（借金）からだが、ラテン語 debitum（借金）の b を入れて、
発音しないが、ラテン語らしく見せかけている。16世紀に piano,
opera などイタリア語から芸術用語が入った。

3. のギリシア語は学術用語が多い。ギリシア人の言語研究は文
法と語源であった。grammar も etymology もギリシア語からきて
いる。police, polite, politics, metropolis などみな pólis（都市）を含
んでおり、democracy（民主主義）や aristocracy（貴族政治）など、
政治用語もギリシア語が多い。

4. のノルド語はデンマークのヴァイキングが8世紀以後、英語に持ち込んだもので、パーセントは低いが、die, knife, skill, skirt, take, want など基本語が多い。地名 Derby, Rugby などの -by はデンマーク語の by ビー（町）からきている。by は英語の be と同じ語源で「人のいるところ」から「村」「町」になった。

5. のその他の言語はアラビア語、ペルシア語、トルコ語、アメリカ・インディアン語などだが、tea, coffee, potato, tobacco など、世界共通が多い。vodka とか intelligentsia（知識階級）のようなロシア語もある。

　このような語彙の起源の多様性を英語で heterogeneousness と呼ぶ（C.L.Wrenn, The English Language, London, 1949）。この用語そのものも多起源的で、hetero-（異なる）はギリシア語、gen (e) -（生む、生まれる、起源）は印欧語（Indo-European, ギリシア語やラテン語のもとになった言語）、-ous（…をもった、形容詞語尾、famous は名声をもった、有名な）はラテン語 -osus から、最後の -ness は本来の英語である。

　英語の優れた点は、これらの外来語を容易に採り入れる寛大な受容性（receptiveness）である。

「言論の自由」は freedom of speech と liberty of speech がある。freedom, of, speech はみな本来の英語であるが、liberty はフランス語である。フランス語 libre（リーブル；自由な）は形容詞の形では借用されなかった。beauty は抽象名詞として借用された。

　日本語も漢語（Sino-Japanese）が非常に多い。「言語」は漢語だが、純粋な和語は「ことば」である。「日本人のことばは日本語です」といえば、「ことば」は「言語」の意味だが、「パンということばは日本語になっている」においては、「ことば」は「単語」の意味になる。「語源」は漢語だが、「ことばのみなもと」といえば和語になる。

X（文字と発音）。x [ks] はギリシア起源の語 Xerxes, xenophobia, xylophone, hexameter, anxious に見られる。[ks] でなくて [z] と発音するものもある。本来の英語 six, fox, axe, wax, oxen にもある。スペイン語の Don Quixote（ドンキホーテ）の x はドイツ語 Bach（バッハ；小川、または人名）の ch の音である。ロシア語の xleb [フリェープ]（パン）は英語 loaf と同じ語源で、ゴート語 hlaifs [フライフス] から早い時代にロシア語に入った。

Samuel Taylor Coleridge の詩 In Xanadu did Kubla Khan a stately pleasure-dome decree（1797完成、1816出版）「ザナドゥでクブラ・カーンは壮麗な宮殿を作るよう命じた」の Xanadu（大都、大きな都）は Peking の近郊である。Kubla Khan（Kublai Khan, 1216-1294）はモンゴルのジンギスカン（Genghis Khan）の孫である。Xanadu [ˈzænədùː] は、現在、内モンゴル自治区。小谷部全一郎（1867-1941）の A Japanese Robinson Crusoe（1898）によると、北京のモンゴル街は立派な邸宅が並んでいたが、中国街は道が狭く、貧民、乞食が大勢いた。

Y（文字と発音）。ラテン語はギリシア文字の u（hupo ヒュポ；下に）を y で採り入れた。hypothesis（主題、仮定）。英語 die と dye は同じ発音だが、綴り字で「死ぬ」と「染める」を区別する。

Z（文字と発音）。ギリシア語 z は zd とか dz と発音された。古典ラテン語には、この音はなかった。英語 zero, zeal, freeze だが、raise, surprise, 他動詞の語尾 -ize（harmonize）にも見える。azure では [ʒ] となる。スウェーデンの英語学者 R.E.Zachrisson（1880-1937）はサクリソンと発音する。Zachris はヘブライ名。

あとがき

　紙面から見ると、Bonfante 先生50%、下宮50%であるが、Collier's Encyclopedia（New York, 1956）を神田で購入した1958年の学生時代から、今日にいたるまで、先生から得たものは、あまりにも大きく、とても数字では表せない。先生はこの百科事典のlinguistics editor として、書きたい288項目（言語学用語と言語学者の伝記）は全部書いた。出版時の年齢は52歳であった。1956年は上記の百科事典の出版年であるから、実際の執筆は、その数年前であったと思われる。アメリカのPrinceton 大学ロマンス語教授であった。私が所有しているこの百科事典は20巻のうち最初の3巻が欠けていて、神田古本街の路上に17巻が高く積み上げられていた。当時、私は新宿区天神町に下宿していて、自転車で3回に分けて運んだ。その後17巻は新宿から町田（両親の家）、町田から弘前大学、弘前大学から学習院大学、2005年、定年後、学習院大学から埼玉県所沢市の自宅まで17巻が無事に引越し、いまも現役で、書き込み、貼り込みをしながら、役立っている。

　前島儀一郎先生（1904-1985）が『英独比較文法』（大学書林，1952, 1987[4]）を書いたのは先生が39歳（1943）のときであった。三省堂から出版の予定だったが、戦争のために、原稿と一部校了の紙型が消失し、出版は戦後7年も経った1952年だった。川本茂雄氏（早稲田大学教授）を仲介して出版されたと序文にある。私がその本を購入したのは、立川高校2年のときで、これぞわが道と悟った次第である。1987年、第4版が出るとき大学書林出版部長の佐藤政人氏（1935-2019）から、文献追加の依頼があり、1987年までの文献を update した（1987年2月25日）。前島先生の『英仏比較文法』（大学書林1961）は『英独比較文法』にもまさる内容で、ロマンス語比較文法の入門書になっている。先生は成城大学教授と兼任で、名古屋大学でフランス語学、古代フランス語を教えていた。

　2023年4月　　西武池袋線小手指のプチ研究室　　下宮忠雄

著者プロフィール

下宮 忠雄（しもみや ただお）

1935年、東京生まれ。1961年早稲田大学第二文学部英文科卒。
1961-1965東京教育大学大学院でゲルマン語学、比較言語学専攻。
1965-1967ボン大学留学。1967-1975弘前大学講師、助教授（英
語学、言語学）。1977学習院大学教授（ドイツ語、ヨーロッパの
言語と文化）、2005名誉教授。2010文学博士。
主著：ドイツ語語源小辞典；ドイツ西欧ことわざ名句小辞典；グ
リム童話・伝説・神話・文法小辞典；バスク語入門（言語と文化）；
ノルウェー語四週間；言語学I（英語学文献解題I）。

言語学小辞典

2023年7月15日　初版第1刷発行

著　者　下宮　忠雄
発行者　瓜谷　綱延
発行所　株式会社文芸社
　　　　〒160-0022　東京都新宿区新宿1‐10‐1
　　　　　　　　　電話　03-5369-3060（代表）
　　　　　　　　　　　　03-5369-2299（販売）

印刷所　株式会社フクイン

ISBN978-4-286-24270-5